Là où croît le péril…
croît aussi ce qui sauve

HUBERT REEVES

Là où croît le péril…
croît aussi ce qui sauve

ÉDITIONS DU SEUIL
25, bd Romain-Rolland, Paris XIVᵉ

Ce livre est publié dans la collection « Science ouverte »
sous la direction de Jean-Marc Lévy-Leblond

ISBN 978-2-02-111890-2

© Éditions du Seuil, septembre 2013

www.seuil.com

*Ce livre est dédié à tous les actifs
de l'association Humanité et Biodiversité
que je préside et à son comité d'orientation.*

*Le titre du livre est un vers
du poète allemand Friedrich Hölderlin.*

C'est une chose étrange
à la fin que le monde

Aragon

Je me sens proche de tous ceux qui manifestent un sentiment d'étonnement, de perplexité, voire d'anxiété, face à ce monde dans lequel nous vivons et où se joue notre sort.

Nous sommes continuellement confrontés à des informations qui nous interpellent et nous troublent, sans que nous sachions, très souvent, comment réagir, ou plus exactement, comment les intégrer à une « vision du monde », si nécessaire à la conduite de notre vie.

Dans notre jardin de Malicorne, nous avons, près d'un étang, un banc nommé le « banc du temps qui passe ». Je m'y assieds souvent pour me sentir appartenir au cosmos, avec les libellules, les carpes, les bergeronnettes posées sur les nénuphars et le grand saule pleureur.

Si je suis là, si je peux réfléchir, c'est que nous habitons un Univers dans lequel s'est déroulé un événement extraordinaire, une saga épique que nous appelons la «croissance de la complexité». Les connaissances scientifiques n'en finissent pas de nous révéler notre origine cosmique.

Comment nous, êtres humains, en sommes venus à être ici, maintenant? Notre existence est liée à des phénomènes qui s'étalent sur des temps de milliards d'années, des espaces de milliards d'années-lumière, qui impliquent les galaxies, les étoiles et les planètes. C'est ce que j'aime appeler la «belle-histoire».

Dans les deux premiers chapitres de ce livre, j'ai rassemblé un certain nombre d'éléments, issus de nos connaissances scientifiques, qui nous relient plus ou moins directement au cosmos. Ces éléments ont joué des rôles importants dans la croissance de la complexité cosmique et dans le déroulement de la belle-histoire. Ils méritent qu'on y porte la plus grande attention.

À la fin de l'une de mes conférences, une personne paralysée, en fauteuil roulant, m'a dit: «J'aime entendre cette histoire. C'est la seule chose qui me tienne en vie...» Un peu plus tard cet homme a ajouté: «Je prends conscience du fait qu'entre le désespoir et une religiosité naïve il y a place pour autre chose.»

Mais par ailleurs, nos journaux, la télévision et internet nous apportent chaque jour des documents accablants sur le comportement de notre espèce. Ils nous racontent le saccage de la planète par l'activité humaine, appuyée par la puissance technologique que notre intelligence nous a permis d'atteindre. Cette puissance nous plonge aujourd'hui dans une grande crise écologique fort menaçante. C'est la «moins-belle-histoire». C'est bien là que croît le danger...

Il nous faut coexister avec la réalité de ces deux histoires pourtant apparemment si contradictoires. Quel rapport existe-t-il entre elles? Comment la première a-t-elle abouti à la seconde? Et surtout, comment faire face à ces deux réalités, et comment tenter de les réconcilier? Tel est le sujet de ce livre.

Les chapitres 3 et 4 entrent dans le détail de la moins-belle-histoire. Celle-ci commence avec l'apparition de l'intelligence sur notre planète, selon les aléas de l'évolution biologique. Cette faculté atteint sa plus grande efficacité chez un mammifère, notre ancêtre *Homo sapiens*, né en Afrique il y a un peu moins de deux cent mille ans. Grâce aux progrès des techniques, nous pouvons suivre les péripéties de son interaction litigieuse avec l'environnement.

Au moment où cette cohabitation devient particulièrement problématique, se produit une réaction positive: le «Réveil Vert», dont les éléments sont présentés au chapitre 5. Le dernier chapitre propose des réflexions sur les modalités de la mise en œuvre du Réveil Vert. En particulier sur la nécessité du développement d'une éthique qui élargit notre responsabilité humaine à la nature tout entière. Elle porte nos espoirs pour l'avenir.

« Là où croît le péril croît aussi ce qui sauve. » Ce beau vers du poète allemand Hölderlin couvre bien le double aspect de la situation dans laquelle nous sommes plongés aujourd'hui. C'est pourquoi je l'ai choisi comme titre de cet ouvrage.

Le jugement réservé

« Il faut avoir le courage d'affronter la réalité, toute la réalité, dans toutes ses facettes, jusqu'à l'angoisse », écrivait Martin Heidegger. J'invite chaque lecteur à participer à cette réflexion, sans dogmatisme, avec la plus grande liberté d'esprit possible. Je propose une attitude dite de « jugement réservé ». On peut l'expliciter par cette phrase : « J'observe le phénomène et je réserve mon jugement. Toute observation d'un phénomène naturel est potentiellement porteuse d'un message sur la nature de la réalité. Une interprétation hâtive et insuffisamment réfléchie peut en masquer l'accès. » Rester ouvert à l'étonnement. Ne pas refuser les faits, même s'ils semblent incompréhensibles, dérangeants ou angoissants. À ce titre seulement, leur connaissance peut nous venir en aide. C'est le pari que nous acceptons en commun de faire ici.

PREMIÈRE PARTIE

LA BELLE-HISTOIRE

CHAPITRE I

« Sans ça, nous ne serions pas là pour en parler »

Cette remarque ressurgit souvent dans les discours des enseignants et des vulgarisateurs scientifiques. Elle arrive comme un refrain, sur des sujets aussi différents que les propriétés des neutrinos, la structure chimique de la molécule d'eau, les populations relatives des photons et des quarks ou l'existence de la matière sombre.

Dans ce chapitre, je vais présenter quelques-uns de ces thèmes regroupés sous le vocable des « sans ça ». Mais rappelons que, s'ils peuvent aujourd'hui nous paraître insolites et nous interroger, la science évolue et de nouvelles découvertes feront peut-être perdre à certains leur aspect énigmatique.

De plus, on pourra aussi contester l'affirmation que « sans ça nous ne serions pas là ». Connaissant sa grande capacité d'adaptation, la vie n'aurait-elle pas trouvé une autre voie pour surmonter ces difficultés ?

Ces « sans ça », chacun à leur façon, ont joué des rôles majeurs dans l'avènement de la complexité et de l'apparition de la vie. En ce sens ils tiennent une place importante dans l'élaboration de la belle-histoire. Aussi me paraît-il utile de nous attarder sur ce sujet.

1. Des forces finement ajustées

Voici une information qui n'a pas fini de faire parler d'elle. Elle nous est arrivée, d'une façon inattendue, du monde de l'informatique, de ceux qu'on appelle souvent les « broyeurs de chiffres ».

On part du constat que le comportement de la matière du cosmos est contrôlé par quatre forces différentes : la force de gravité, la force électromagnétique, la force nucléaire forte et la force nucléaire faible. Chacune est caractérisée par son intensité et sa portée (la distance sur laquelle elle se fait sentir).

Les physiciens, qui aiment s'amuser avec des modèles numériques sur ordinateur, ont tenté de calculer comment la matière cosmique se serait comportée depuis le Big Bang si les propriétés de ces forces avaient été un tant soit peu différentes. Là, surprise ! Les moindres variations résultaient souvent en univers bien différents du nôtre : ils s'avéraient parfaitement stériles. Pas de galaxies, pas d'étoiles, pas de planètes, et surtout, pas de vie !

Convenons, par exemple, d'augmenter, même de façon minime, l'intensité de la force nucléaire forte. Lors du

Big Bang, tout l'hydrogène se serait transformé en hélium. Résultat : il n'y aurait pas d'étoiles de longue durée comme le Soleil pour veiller à l'éclosion de la vie et pas d'eau dans l'Univers. Un monde sec et stérile.

Convenons à l'inverse qu'elle ait été un peu, très peu, plus faible. Résultat : les noyaux atomiques seraient beaucoup moins stables. Un grand nombre se désintégrerait spontanément et la matière serait hautement radioactive, trop instable pour permettre la vie.

Supposons maintenant que la force de gravité soit un tantinet plus faible. Un univers soumis à ces conditions aurait suivi un parcours semblable au nôtre : expansion, refroidissement, obscurcissement. Mais aucune galaxie, aucune étoile, aucune planète ne se serait formée. La matière serait restée indéfiniment dans son état de dispersion initiale.

À l'opposé, une minime intensification de la gravité aurait accru la vitesse de formation des étoiles qui se seraient par la suite rapidement transformées en stériles trous noirs. Et la liste est longue des exemples d'effets semblables sur les autres forces.

En peu de mots : les forces qui régissent la matière semblent finement « ajustées » pour l'apparition de la complexité, de la vie et de l'intelligence dans l'Univers. Étonnant non ? Évidemment les réactions n'ont pas manqué, les interprétations sont nombreuses et les débats sont animés. Mais la réalité de ces « concordances » est très généralement admise par les astrophysiciens. Eh, bien sûr, sans ça, nous ne serions pas là !

Une interprétation spéculative

Plusieurs chercheurs tentent d'interpréter ces « sans ça » comme indices de l'existence d'un multivers. On suppose l'existence d'une multitude d'univers totalement séparés du nôtre dont l'ensemble formerait le « multivers ». On suppose ensuite que chacun de ces univers est régi par un ensemble de lois différentes. La complexité ne peut émerger que dans ceux dont les lois sont semblables aux nôtres ; les autres sont stériles. Il n'y a, en effet, dans ces univers personne pour se poser de questions !

Quelles preuves avons-nous de l'existence de tels univers ? Aucune pour le moment. En l'absence de preuves, cette argumentation reste entièrement spéculative. Elle est, à mon avis, insatisfaisante. De surcroît, elle présente le danger de masquer la véritable portée de l'existence de ces « sans ça ».

2. La granularité du rayonnement fossile

L'idée que subsistent encore dans le ciel des lueurs datant des premiers temps du cosmos vient du cerveau génial du physicien russo-américain George Gamow, en collaboration avec ses collègues Ralph Alpher et Robert Herman, en 1948. Prenant pour acquis que l'éloignement progressif des galaxies observé par Hubble suggérait que l'Univers avait été, dans le passé, extrêmement chaud, ils en vinrent à la conclusion que des traces de cette incandescence initiale devaient se trouver encore dans le ciel et se manifester sous la forme d'un rayonnement radio dispersé dans tout l'espace cosmique.

Ce rayonnement, appelé aujourd'hui le rayonnement fossile, fut détecté en 1965 par les ingénieurs américains Arno Penzias et Richard Wilson avec, très précisément, les caractéristiques prévues par Gamow. Selon le modèle du Big Bang, ce rayonnement a été émis non pas à l'instant initial lui-même, mais 380 000 ans plus tard, quand la température de l'Univers refroidissant passait sous la barre des 3 000 °C.

Toujours selon le modèle du Big Bang, la matière cosmique avait déjà commencé la germination des grandes structures du cosmos : les amas de galaxies. En conséquence, on s'attendait à trouver dans ce rayonnement fossile une granularité de l'intensité lumineuse (des contrastes d'intensité) qui indiquerait les lieux où le processus était déjà amorcé.

Les premiers documents (1965) étaient trop flous pour laisser percevoir cette granularité. Mais de nouvelles images, prises avec des appareils munis d'une meilleure résolution, finirent par la débusquer vers 1994. Elle est très faible. Le contraste avec la luminosité moyenne est de trois ou quatre parties dans un million. Les mesures effectuées par le satellite *Planck* en 2013 ont récemment confirmé cette valeur.

La source initiale de cette granularité est mal connue. On parle de fluctuations d'origine quantique dont nous ne savons pas, faute de théorie appropriée, calculer l'intensité. Nous savons seulement que si elles avaient été plus faibles, aucune galaxie n'aurait pu se former. Et que si elles avaient été plus fortes, il n'y aurait eu dans l'Univers que des trous noirs. Elles ont juste la bonne intensité pour fabriquer les échelles de structure que nous connaissons : amas de galaxies, galaxies, étoiles. Et pour permettre l'apparition de la vie. Nous retrouvons le refrain habituel : si cette granularité avait eu une intensité différente, nous ne serions pas là pour en parler…

Peut-être des faits semblables à celui-là et aux autres décrits dans ce chapitre trouveront-ils des explications simples et les propos tenus ici paraîtront bien naïfs. Mais ce qui ne laisse pas de nous étonner, c'est que cette liste des « sans ça » ne cesse de s'allonger avec les progrès des techniques d'observation. Dans l'esprit de notre convention initiale, nous enregistrons ces faits sans chercher à tout prix à leur trouver des interprétations.

3. La matière sombre et l'énergie sombre

Vers 1935, un astrophysicien suisse, Fritz Zwicky, étudie avec un grand télescope californien un amas de galaxies du ciel lointain. Il mesure les masses et les vitesses de déplacement de chacune des galaxies. Quelque chose l'étonne. Il lui semble que les galaxies vont très vite... trop vite. Animées de telles vitesses, elles devraient s'échapper de l'amas où elles sont observées. Celui-ci, en effet, semble trop peu massif pour les garder captives par sa simple gravité. Quelque chose d'autre semble les retenir dans l'amas.

Il fait alors une hypothèse téméraire : il y aurait dans cet amas, de la matière supplémentaire, qui ne se laisse pas voir sous la forme de nébuleuses, étoiles ou galaxies. Quelque chose de présent mais d'invisible !

Cette observation fut la première indication de l'existence dans l'Univers de ce que nous appelons aujourd'hui la « matière sombre ». Accueillie au début avec scepticisme, cette hypothèse a fini par s'imposer. Nous avons maintenant plusieurs observations différentes qui confirment sa réalité. En fait, il y a environ cinq fois plus de matière sombre que de matière ordinaire (celle qui compose les astres visibles). Comme toute matière, selon les lois de Newton, la matière sombre exerce une force d'attraction sur les corps qui l'environnent. On dit qu'elle « gravite ».

Mais de quoi est-elle composée ? Nous n'en savons rien sinon qu'elle n'est pas constituée, comme vous et moi, d'électrons, de protons, d'atomes, etc. Elle n'émet pas de photons, sinon on la verrait. Mais sa nature et son origine restent à ce jour profondément mystérieuses. C'est un des sujets les plus actifs des recherches contemporaines.

La présence de cette matière sombre s'est signalée à notre attention d'une autre façon tout aussi surprenante. Elle joue un rôle important dans l'évolution du cosmos. Par sa gravité, elle accélère considérablement le taux de formation des galaxies et des amas de galaxies. Il paraît acquis que, sans elle, aucune de ces gigantesques structures n'aurait eu le temps de se former entre le moment du Big Bang et aujourd'hui. La matière cosmique en expansion serait restée dispersée dans l'espace, incapable de former des structures. Donc pas non plus d'étoiles ni de planètes...

Une découverte plus récente (elle a à peine vingt ans) nous a fait connaître l'existence d'une autre composante de l'Univers : l'énergie sombre. Contrairement à la matière sombre et à la matière ordinaire, elle exerce une force répulsive sur la matière du cosmos. Elle augmente la vitesse d'éloignement des galaxies. Quand on mesure leurs distances, on constate qu'elles sont maintenant plus loin les unes des autres que si cette énergie sombre n'existait pas. D'autres observations sont venues également confirmer sa présence. Sa nature est aussi mystérieuse que celle de la matière sombre. On soupçonne, sans en avoir de preuves convaincantes, que son existence est reliée à la théorie de la gravité d'Einstein. Décidément il avait vu loin !

Comme la matière sombre, l'énergie sombre joue un rôle important dans l'évolution de l'Univers. Par sa propriété répulsive, elle inhibe la formation des structures. Très faible aux premiers temps du cosmos, l'énergie sombre représente aujourd'hui plus des trois quarts de la densité cosmique. Cette proportion continue à croître avec le temps. Elle est devenue tellement puissante que si les galaxies ne s'étaient pas formées pendant les premiers milliards d'années, elles ne pourraient plus se former maintenant.

Ces deux composantes de nature inconnue constituent 95 % de la densité de la matière cosmique. Belle leçon d'humilité pour les physiciens qui croyaient tout savoir de la nature de la matière il y a quelques décennies à peine.

Rassemblons ces éléments. D'une part, sans l'existence de la matière sombre les galaxies et les étoiles n'auraient pas encore eu le temps de se former à partir du magma cosmique initial. Mais d'autre part, à cause de la répulsion exercée par l'énergie sombre, elles ne pourraient plus se former maintenant.

Si ces spéculations devaient se confirmer, il nous

faudrait admettre que ces matières, non seulement lointaines mais invisibles à nos yeux, auraient joué un rôle majeur dans la succession des événements qui ont amené à notre existence. Affaire à suivre.

4. La naissance du carbone

Je vais raconter un événement qui a fait beaucoup de bruit, il y a un demi-siècle quand, grâce aux progrès de la physique nucléaire de laboratoire, on a commencé à découvrir l'origine des éléments chimiques dans l'Univers.

L'astrophysicien anglais, Fred Hoyle, a formulé vers 1948 l'idée que les brasiers internes des étoiles, là où les températures sont assez élevées pour amorcer spontanément des réactions nucléaires, sont les foyers où les noyaux des atomes du cosmos sont engendrés.

Pour accréditer cette thèse, il fallait d'abord identifier les chaînes de réactions nucléaires spécifiques qui seraient responsables de chaque variété d'atome puis identifier les types d'étoiles dans lesquelles ces atomes avaient été produits. C'est d'ailleurs sur un des thèmes de cette enquête que j'ai fait ma thèse de doctorat en astrophysique nucléaire.

Un problème se posa bientôt concernant l'origine du carbone. Les connaissances de l'époque en physique nucléaire ne laissaient entrevoir pratiquement aucune possibilité de sa formation dans les étoiles. Aucune séquence de réactions ne semblait être en mesure d'expliquer sa population dans l'Univers, sauf à faire appel à des coïncidences assez étonnantes quant aux valeurs numériques de différentes propriétés du noyau de carbone, propriétés encore non mesurées à cette époque.

Prenant acte du fait que le carbone est un des éléments les plus foisonnants dans l'Univers, Hoyle prédit que les coïncidences requises devaient se vérifier dans la réalité. Son ami, le physicien américain William Fowler, le confirma bientôt par des expériences de laboratoire en Californie. Les propriétés du noyau de carbone mesurées en laboratoire sont exactement celles que Hoyle avait estimées pour rendre compte de son abondance. Ces réactions se produisent surtout dans les étoiles géantes rouges, comme Antarès, visible au Sud dans notre ciel d'été.

Que penser de cette prédiction réussie et de ces coïncidences étonnantes ? On peut, bien sûr, faire appel au hasard. Mais on peut aussi rester sur sa faim en se disant que le hasard a souvent le dos large. Et, de surcroît, il faut prendre en considération le fait que le carbone est l'enfant chéri de Dame Nature pour construire la complexité. Il est l'élément clef de toutes les architectures moléculaires et de la vie sur Terre. Il est bien difficile d'imaginer comment la vie aurait pu apparaître sans lui. Voici une excellente occasion de pratiquer le jugement réservé.

5. Le noyau chaud de la Terre

Le centre de la Terre est situé tout juste sous nos pieds, à 6 400 kilomètres (la distance Paris-Moscou). C'est un des lieux les plus mal connus de la science contemporaine. Nous connaissons bien mieux le cœur du Soleil et des étoiles que celui de notre propre planète !

La raison ? Les étoiles sont des boules de gaz. Or la physique des gaz est relativement simple. Elle est aujourd'hui bien comprise. Mais les planètes rocheuses comme la Terre sont constituées d'une séquence de phases liquides et solides nettement plus difficile à modéliser. Tout y est plus compliqué. De grands progrès ont été accomplis, mais il reste encore beaucoup à faire dans ces chapitres de la physique. Pourtant nous savons déjà que ce qui se passe là, en bas, mérite à coup sûr de figurer sur la liste de nos « sans ça ».

Au sujet du noyau terrestre, nous avons quelques informations crédibles. Il y fait chaud : environ 6 100 °C. Nous connaissons l'origine de cette chaleur. Elle vient de deux sources différentes. L'une provient des innombrables collisions de météorites de toutes dimensions qui ont frappé notre planète aux premiers temps du Système solaire. L'avalanche de matière, dont l'accumulation a fini par constituer la masse planétaire, y a déposé en même temps une grande quantité de chaleur.

Par ailleurs, ces pierres incorporent des atomes radioactifs à longue vie (uranium, thorium, calcium). Ces atomes proviennent des explosions d'étoiles qui ont eu lieu dans le bras de la Voie lactée où la Terre est née, il y a 4,5 milliards d'années. Séquestrés dans ces météorites tombées du ciel, les noyaux de ces atomes se désintègrent progressivement, selon leur temps de vie spécifique, et entretiennent la chaleur interne de notre planète.

Cette énergie thermique se propage vers la surface planétaire pour se dégager ensuite dans l'espace. En passant, elle engendre des mouvements de matière de grande envergure. Cette agitation se manifeste à la surface par des éruptions volcaniques, des tremblements de terre, des tsunamis. Elle est également responsable de l'existence du champ magnétique terrestre qui oriente nos boussoles ainsi que nombre d'oiseaux migrateurs.

Comment ces phénomènes situés dans les strates les plus profondes et les plus inaccessibles de notre planète sont-ils reliés à notre existence ? Pourquoi figurent-ils sur notre liste des « sans ça » ?

À l'abri des rayons cosmiques et du vent solaire

Deux chapitres majeurs de la recherche scientifique du XXe siècle vont nous mettre sur la piste. D'abord, la découverte des rayons cosmiques. En 1917, un physicien allemand, Victor Hess, et son équipe, grâce à des compteurs embarqués à bord d'un ballon, ont la surprise de constater que la radioactivité naturelle, loin de s'atténuer avec la hauteur atteinte par la nacelle, augmente progressivement. C'est que notre planète est continuellement bombardée de particules chargées de très grande énergie, appelées «rayons cosmiques». Issues des explosions d'étoiles massives, ces particules sillonnent en permanence l'espace interstellaire et bombardent les corps célestes qui orbitent dans la Galaxie.

À cela il faut ajouter une découverte plus récente: celle du vent solaire. Les premières sondes lancées dans l'espace vers les années 1960 ont été accueillies par un flux de particules d'énergie plus faible que les rayons cosmiques mais en beaucoup plus grand nombre. Elles proviennent directement des couches superficielles de notre étoile. Elles diffusent rapidement dans l'ensemble du système solaire.

Pourquoi ces particules rapides n'atteignent-elles pas (ou peu) la surface de notre planète? C'est le champ magnétique terrestre qui, en les déviant, les repousse dans l'espace et nous met à l'abri de leur influence délétère. Mais pas totalement, comme le savent les hôtesses de l'air qui doivent comptabiliser et limiter, en conséquence, leurs heures de vol. Sans ce bouclier magnétique qui entoure notre planète, la vie, telle que nous la connaissons n'aurait jamais pu naître sur les continents.

Notons que la Lune et Mars, qui n'ont pas de champ magnétique, subissent de plein fouet ce bombardement. La vie y serait impossible. Et pourquoi n'ont-elles pas de champ magnétique? À cause de leur petite taille. Mars est dix fois moins massive que la Terre et la Lune cent fois moins massive. En conséquence, elles ont dégagé leur chaleur initiale beaucoup plus rapidement que la Terre. (Rappelons que cette chaleur est responsable des mouvements de convection qui engendrent le champ magnétique.) Leur cœur est maintenant refroidi. Pas de volcan actif mais pas non plus de bouclier magnétique pour détourner les particules rapides; des paysages minéraux arides, sans la moindre trace de végétation. Notons que Mars pourrait avoir eu un champ magnétique dans les premiers âges du Système solaire... des recherches se poursuivent activement à ce sujet.

Les volcans et le gaz carbonique

Ce bouclier magnétique n'est pas tout ce que nous devons à notre noyau terrestre incandescent. Les progrès de la planétologie nous ont fait découvrir un autre aspect de son rôle, également indispensable pour la présence et la persistance de la vie. Nous l'ignorions, il y a à peine quelques décennies. L'exploration de Mars nous a été d'un grand secours à cet égard.

Nous savons depuis longtemps que les êtres vivants reçoivent leur énergie de la combinaison du gaz carbonique, de l'eau et des rayons du Soleil. Ils fabriquent ainsi des sucres variés. Exemple : la photosynthèse qui verdit la campagne. Telle est la recette principale de la vie sur Terre. Mais si l'eau et les rayons du Soleil sont avec nous pour longtemps, tel n'est pas nécessairement le cas pour le gaz carbonique, une substance relativement peu abondante dans notre atmosphère.

Absorbé et utilisé en permanence par les organismes vivants dans la mer et sur la terre, ce gaz disparaîtrait rapidement s'il n'était, par ailleurs, continuellement renouvelé par des phénomènes naturels. Et c'est là qu'interviennent les éruptions volcaniques qui dégagent dans l'atmosphère des torrents de gaz carbonique issus de la dissolution des pierres dans les hautes températures des strates profondes de notre planète. Sans la chaleur du noyau central, cette production de gaz carbonique s'épuiserait rapidement et la photosynthèse ne pourrait plus se produire.

Bien sûr, cela ne durera pas indéfiniment. Comme les chaleurs initiales de la Lune et de Mars, celle de la Terre s'épuise avec le temps. Mais les évaluations les plus crédibles nous permettent de compter encore sur quelques centaines de millions d'années de loyaux services de la chaleur centrale véhiculée par la tectonique des plaques.

6. Rares sont les orbites circulaires

Il est parfois intéressant de revenir sur l'histoire des recherches scientifiques pour constater comment des phénomènes dont l'existence paraissait à l'abord sans importance particulière, sont devenus, grâce aux progrès des connaissances, dignes d'une attention spéciale. Il s'agit ici de la forme de l'orbite de la Terre autour du Soleil.

On fait généralement remonter à Aristarque de Samos l'idée que la Terre et les planètes tournent autour du Soleil, et non l'inverse. Voici un texte écrit par Archimède datant de 287 avant J.-C. qui en fait foi :

« Vous n'êtes pas sans savoir que par l'Univers, la plupart des astronomes signifient une sphère ayant son centre au centre de la Terre [...]. Toutefois, Aristarque de Samos a publié des écrits sur les hypothèses astronomiques. Les présuppositions qu'on trouve dans ses écrits suggèrent un Univers beaucoup plus grand que celui mentionné plus haut. Il commence en fait avec l'hypothèse que les étoiles fixes et le Soleil sont immobiles. Quant à la Terre, elle se déplace autour du Soleil sur la circonférence d'un cercle ayant son centre dans le Soleil. »

Grâce aux travaux de Copernic et de Galilée, d'amples preuves de cette géniale intuition ont été apportées à la Renaissance. Johannes Kepler, par ses observations, montre qu'en fait les orbites des planètes ne sont pas des cercles parfaits, comme on l'affirmait depuis Aristote, mais des ellipses plus ou moins allongées. Celles des planètes connues à cette époque : Mercure, Vénus, Mars, Jupiter, Saturne sont presque des cercles (mais pas tout à fait...) tandis que, on le découvrira un siècle plus tard, la comète de Halley parcourt une ellipse très allongée. Tout cela est en accord avec la théorie de la gravité universelle énoncée par Newton vers la fin du XVIIe siècle.

Sur une orbite circulaire (ou presque) comme celle de la Terre, la distance entre le corps central (le Soleil) et la planète reste à peu près la même pendant toute la durée de la révolution. Ainsi en est-il des autres planètes du Système solaire.

Une conséquence importante de la forme de l'orbite terrestre devint perceptible au XIXe siècle avec le développement de la biologie. La température à la surface d'une planète est reliée à la quantité de lumière qu'elle reçoit du Soleil et donc à la distance qui la sépare de lui. (Elle dépend aussi de la nature de son atmosphère.) Sur Mercure, la planète plus proche du Soleil, il fait en moyenne 180 °C tandis que sur Pluton, la plus lointaine, il fait − 220 °C... À la surface de la Terre, la température moyenne est d'environ 15 °C. Elle varie légèrement au cours des saisons. L'eau peut s'y retrouver à l'état solide, liquide ou gazeux. Alors que sur la surface de la comète de Halley, par exemple, et selon sa position sur son orbite, la température peut être bien supérieure à celle de l'eau bouillante et descendre ensuite vers des températures proches du zéro absolu.

Le fait que la vie terrestre existe depuis plusieurs milliards d'années (les fossiles en témoignent) est tout à fait cohérent avec la forme de l'orbite terrestre mesurée par les observateurs. La quasi-circularité de l'orbite terrestre lui assure une température à peu près constante. Cela paraît être une exigence raisonnable du développement de la vie. L'astronomie, la biologie et la paléontologie se rejoignent sur le sujet. Tout cela fait agréablement sens.

En 1972, à Nice, j'ai participé à un symposium sur l'origine du Système solaire. À cette époque, les scientifiques avaient l'impression de comprendre assez bien le déroulement de ce processus astronomique, au moins dans ses grandes lignes. C'est à Kant et à Laplace que nous en devons les premières représentations. Une nébuleuse gazeuse, comme on en observe tout au long de la Voie lactée sert de point de départ. On l'appellera la « nébuleuse protosolaire ». En rotation rapide sur elle-même, elle a la forme d'un disque plat. Instable, elle s'effondre lentement sous son propre poids. Dans sa partie centrale, une étoile se forme : le Soleil, qui va commencer à briller. Plus loin dans le disque, la matière de la nébuleuse, entraînée par la rotation, se fragmente, s'accumule et donne naissance aux planètes sur des orbites plus ou moins circulaires. Ces orbites sont situées à peu près dans le même plan, celui de la nébuleuse gazeuse aplatie de Kant et Laplace. C'est l'image classique qu'on retrouve sur les murs des établissements scolaires. L'astre central leur prodigue plus ou moins de chaleur selon la distance où elles se trouvent.

Avec les progrès des télescopes et des sondes spatiales, de nouvelles connaissances, en particulier sur la chimie des corps planétaires, vinrent enrichir ce tableau. Sur Mercure, la plus proche du Soleil, on trouve des éléments très réfractaires (fers, silicates) qui peuvent résister aux hautes températures du voisinage solaire. Mais il n'y a pratiquement pas d'eau, pas de substances volatiles qui, de toute façon, se seraient depuis longtemps échappées dans l'espace. (Ajoutons qu'on y a récemment détecté d'infimes quantités de glace dans des régions bien à l'abri des rayons solaires.)

Plus loin du Soleil, sur des planètes comme Vénus, la Terre et Mars, où il fait moins chaud, résident des substances plus volatiles (eau, gaz carbonique). Et au-delà, les atmosphères des planètes géantes sont gonflées des atomes les plus volatils : l'hydrogène et l'hélium.

Cette distribution des éléments nous permet de comprendre pourquoi les planètes proches du Soleil (Mercure, Vénus, la Terre et Mars) sont tellement moins massives que les planètes extérieures (Jupiter, Saturne, Uranus et Neptune). C'est que l'hydrogène et l'hélium, deux atomes qui constituent 99 % des éléments chimiques de la nébuleuse solaire, en sont exclus par la chaleur qui y règne. Ils s'y évaporeraient rapidement. Seules les planètes plus lointaines, par conséquent plus froides, peuvent les conserver. La disposition des orbites est donc tout à fait compatible avec la chimie des planètes qui les parcourent. Tout cela paraissait harmonieux.

Voilà où en étaient les choses à la fin du XXe siècle. On pensait avoir une idée assez juste de ce qu'on pourrait appeler le formatage des systèmes planétaires en rapport avec la distance à l'étoile centrale, même si tous ces renseignements nous venaient d'un seul échantillon : notre propre Système solaire. On n'en connaissait pas d'autre !

Il semblait dès lors raisonnable de penser que si d'autres systèmes planétaires existaient dans la galaxie, ils devaient être formatés d'une façon plus ou moins analogue. Mais, surprise...

Étonnantes exoplanètes

Les premières détections de systèmes planétaires autour d'étoiles lointaines (exoplanètes) ont été réalisées par nos collègues suisses Michel Mayor et Didier Queloz en 1995. Elles se poursuivent activement en divers observatoires. Aujourd'hui nous avons répertorié plusieurs centaines d'exoplanètes orbitant autour d'étoiles voisines du Soleil. De mois en mois, des mesures obtenues par des techniques variées viennent enrichir nos connaissances. On a détecté des systèmes planétaires possédant jusqu'à cinq planètes. Les orbites sont retracées et les compositions chimiques de certaines atmosphères ont reçu des débuts d'analyses.

Or, résultat surprenant, jusqu'ici nous n'avons pratiquement aucune trace de ce que nous attendions. Les dispositions des orbites ne correspondent en rien au formatage prévu à partir de l'étude du Système solaire. Dans bon nombre de cas, des planètes de la taille de Jupiter gravitent sur des orbites très allongées s'approchant plus près de leur étoile que Mercure du Soleil, si près que quelques-unes en perdent de la matière. Elles n'ont aucunement tendance à se retrouver dans le même plan (coplanarité) comme le prévoyait le modèle de la nébuleuse protosolaire. Rarement, à ma connaissance, dans le domaine scientifique, la réalité a été aussi loin des attentes.

Où était l'erreur ? On avait pris pour acquis que les planètes, une fois installées sur leurs orbites, devaient y rester collées indéfiniment. Que Jupiter ou la Terre, par exemple, avait depuis la naissance du Système solaire toujours gravité à la même distance du Soleil sur les orbites quasi circulaires que nous leur connaissons aujourd'hui.

Quand on a commencé, par calculs sur ordinateurs, à reproduire les comportements des systèmes planétaires, la situation s'est éclaircie. À cause des interactions avec le disque de la nébuleuse et les autres planètes en formation, loin de rester toujours sur des orbites immuables, les planètes ont des mouvements imprévus. Certaines plongent vers l'étoile centrale et s'y engouffrent à jamais. D'autres échangent leurs orbites entre elles. D'autres sont éjectées dans les profondeurs glaciales de l'espace interstellaire.

De surcroît, les observations des exoplanètes présentent jusqu'ici une caractéristique assez troublante : les orbites circulaires ou quasi circulaires, semblent très rares ; on n'en a détecté aucun cas à ce jour (2012). Cette forme orbitale qui assure la stabilité de la température sur un astre où la vie serait susceptible d'apparaître semble assez exceptionnelle. Il se peut que de nouvelles observations nous conduisent à une évaluation différente de la situation planétaire mais pour l'instant et bien que le nombre des exoplanètes dépasse le demi-millier, voilà où nous en sommes.

Résumons-nous. L'histoire de l'origine du Système solaire, à partir des intuitions de Kant et de Laplace, paraissait donner une position privilégiée à l'image d'orbites planétaires circulaires, importantes pour la stabilité de la température de la surface planétaire. Mais les observations récentes des systèmes planétaires semblent indiquer qu'il s'agit là d'une forme orbitale très rare. Dans cette optique, notre Système solaire nous paraît bien spécial. Et, sans cette singularité, nous ne serions vraisemblablement pas là pour en causer.

7. Le naufrage du Titanic

Parfois les phénomènes les plus familiers s'avèrent être les plus étonnants. Comme chacun le sait, la glace flotte à la surface de l'eau. Ce fait, qui a causé la catastrophe du Titanic en 1912, sa collision avec un iceberg, s'avère être d'une importance primordiale pour l'existence de la vie sur la Terre. La glace, à la surface des lacs, isole du froid les couches aquatiques profondes. Elle permet à l'eau d'y rester liquide à très basse température ambiante. Si la glace s'enfonçait, les lacs gèleraient

entièrement et les organismes qui y vivent périraient
sûrement.

En quoi cette propriété est-elle étonnante sur le plan
de la physique ? Il est bien connu que la chaleur dilate
les corps et que le froid les contracte et augmente leur
densité. Ainsi, la plupart des corps sont plus denses à
l'état solide qu'à l'état liquide. Quand l'huile se fige à
cause du froid, elle coule au fond de la bouteille et le
plomb fondu surnage sur le solide. Si la glace, plus froide
que l'eau liquide, était aussi plus dense, elle coulerait à
basse température. Alors ? Pourquoi flotte-t-elle ?

Effectivement, comme la presque totalité des substances, l'eau se densifie quand on la refroidit. Mais,
quand on approche du point de congélation, aux environs
de 4 °C, cette tendance s'inverse et l'eau devient progressivement moins dense : la glace flotte.

Cette propriété s'explique en termes de physico-chimie,
de façon complexe d'ailleurs. Rien de mystérieux
jusque-là. Pourtant, en rapprochant la *rareté* de cette
propriété exceptionnelle dans le monde des substances
chimiques avec l'*importance* de l'eau pour l'élaboration
de la vie, il est peut-être justifié de s'étonner. Peut-on
inclure ce phénomène dans la liste de nos « sans ça » ?
Encore une fois, j'observe le phénomène et je réserve
mon jugement...

8. Le charme discret des neutrinos

Il est difficile d'imaginer une particule plus discrète que le neutrino. Il peut traverser sans laisser de traces des écrans mesurant plusieurs années-lumière d'épaisseur. Les étoiles et les planètes ne les absorbent pratiquement pas. À chaque seconde, plus de 60 milliards de neutrinos en provenance du Soleil traversent notre corps sans que nous en ressentions la moindre gêne.

Il a fallu le génie d'un des plus grands scientifiques de notre temps, Wolfgang Pauli, pour imaginer son existence en 1930. Et des détecteurs aux dimensions pharaoniques pour en identifier quelques-uns à partir de 1956. Comment aurait-on pu deviner que des particules aussi discrètes puissent jouer un rôle important dans notre existence ? Et pourtant, pour reprendre notre refrain favori, sans eux, nous ne serions vraisemblablement pas là pour en parler. Ils font partie des sans ça pour au moins deux raisons différentes.

Rappelons d'abord que les atomes dont nous sommes constitués, en particulier le carbone, l'azote et l'oxygène (les atomes appelés fertiles) ont été fabriqués par des réactions nucléaires dans les brasiers incandescents des cœurs stellaires. Mais pour les amener à participer à l'élaboration de la complexité cosmique, il a fallu que ces atomes soient extraits des lieux torrides de leur naissance et éjectés parmi les froides nébuleuses. Comme on sort un gâteau du four quand il est cuit.

Les explosions de supernovae, à la mort des étoiles massives, sont un des mécanismes les plus puissants d'extraction de la matière stellaire vers l'espace. Or ces phénomènes émettent des quantités prodigieuses de neutrinos. En octobre 1987, des télescopes à neutrinos en ont détecté quelques-uns en provenance de l'explosion d'une supernova dans le Grand Nuage de Magellan à 170 000 années-lumière de la Terre.

On admet aujourd'hui que, malgré la faiblesse de leur interaction, les formidables flux de neutrinos émis au moment de la déflagration donnent le coup de pouce requis pour disperser la moisson d'atomes nouveaux dans l'espace. Il semble bien que sans cet apport des neutrinos, les atomes lourds créés par les explosions d'étoiles massives resteraient séquestrés à l'intérieur de ces astres effondrés sur eux-mêmes et seraient inutilisables pour l'élaboration de la complexité. Avec le concours des neutrinos, les atomes arrivent à s'éjecter de la supernova où ils sont nés, à se répandre dans l'espace pour former des nébuleuses qui donneront naissance aux étoiles. Voilà un premier contexte dans lequel les neutrinos paraissent jouer un rôle dans notre existence.

Les neutrinos en cosmologie

Mais il y a encore plus étonnant en perspective : les neutrinos pourraient avoir été déterminants quant à la structure du cosmos elle-même. Ils seraient responsables du fait que notre Univers contient des électrons, des atomes, des cellules, et nous-mêmes. Ils seraient indirectement les garants de la présence de matière dans l'Univers. Sans eux, l'Univers serait de pure lumière. Comment cela ?

Rappelons que dans le « bestiaire » des physiciens, en parallèle avec les particules de matière qui nous sont familières (électrons, protons, neutrinos) on trouve aussi des antiparticules (antiélectrons, antiprotons, antineutrinos). On en fabrique de grandes quantités dans les laboratoires de physique. On s'en sert pour étudier les propriétés de la matière. Mais, hors des laboratoires, dans la nature, elles sont très rares.

Leur rareté s'explique en particulier par le fait que, pour persister dans l'existence, une fois créées, elles doivent impérativement se tenir loin de la matière ordinaire. Si une antiparticule rencontre une particule, les deux disparaissent immédiatement. Elles se transforment en lumière. On dit qu'elles se sont annihilées. Tout cela est bien vérifié en laboratoire.

Selon la théorie du Big Bang, dans l'extrême chaleur

des premiers instants de l'Univers, de grandes populations de particules et d'antiparticules coexistaient en populations strictement égales. Des paires, composées d'une particule et d'une antiparticule, se formaient et s'annihilaient continuellement. L'espace bourdonnait d'activité.

Mais la matière se refroidissant à cause de l'expansion du cosmos, l'énergie thermique nécessaire à cette activité vint à manquer. Il en résulta une annihilation massive des paires de particules : une véritable hécatombe à l'échelle cosmique. Chaque particule rencontrant un partenaire d'antimatière s'annihila avec lui pour devenir de la lumière. En sorte que, si les populations de matière et d'antimatière avaient été strictement égales, l'Univers devrait être aujourd'hui constitué de pure lumière et... nous ne serions pas là pour en parler. Que s'est-il passé ?

C'est l'astrophysicien russe Andreï Dmitrievitch Sakharov, connu pour ses positions politiques courageuses et ses démêlés avec le régime communiste de l'URSS, qui a trouvé une réponse vraisemblable. À partir de mesures expérimentales sur les propriétés des particules et des antiparticules, il a suggéré qu'en fait, leurs populations respectives n'étaient pas, au début, strictement égales. Les particules étaient légèrement majoritaires par rapport aux antiparticules : une majorité minime d'une partie dans un milliard... Résultat, au moment de l'hécatombe, une particule sur un milliard

Un mal-aimé : le gaz carbonique

Depuis quelques décennies, le gaz carbonique n'a pas bonne presse. Il est souvent présenté comme le responsable de tous nos maux. Non sans raison d'ailleurs. Provoquant le réchauffement climatique et les problèmes qui y sont associés : canicules, fonte des glaces, acidification des océans. On tente de freiner, mais sans trop de succès, son accroissement dans notre atmosphère. Mais il faut rappeler qu'il joue, à plusieurs titres, un rôle fondamental dans notre existence. C'est en décryptant l'histoire de notre Soleil qu'un de ses rôles a été mis en évidence. Notre astre se réchauffe lentement. Au moment de la formation des planètes, il était plus froid. Il n'émettait qu'environ les trois quarts de la lumière qu'il nous envoie aujourd'hui. Sans le gaz carbonique que l'atmosphère primitive de la Terre contenait vraisemblablement en abondance, la température moyenne à la surface de notre planète aurait été de $-15\ °C$. Les surfaces aquatiques auraient gelé. Connaissant le rôle primordial de l'eau liquide dans l'élaboration de la vie, il est difficile d'imaginer comment les organismes vivants auraient pu se constituer.Il convient aussi de rappeler que la photosynthèse, ce processus biochimique qui fournit l'énergie aux plantes, est due à l'association du gaz carbonique et de l'eau sous l'impulsion de la lumière solaire. Rares sont les formes de vie qui ne l'utilisent pas directement ou indirectement. Ajoutons que l'effet de serre provoqué par le gaz carbonique influence profondément la température planétaire et donc les conditions climatiques. L'avenir de la vie sur Terre dépend intimement de son abondance. Ami ou ennemi le gaz carbonique ? C'est selon.

n'a pas trouvé de partenaire pour s'annihiler. C'est à cause de ces particules sauvées de justesse que nous sommes présents dans l'Univers. Nous en sommes constitués. À première vue tout cela peut paraître bien tiré par les cheveux. Pourtant il est difficile d'échapper à ces spéculations. Nous existons, nous sommes bien là pour en témoigner...

La question se pose alors : d'où proviendrait ce léger supplément de la matière sur l'antimatière ? Bien que la situation soit loin d'être parfaitement élucidée, tout semble indiquer que la clef de ce déséquilibre est reliée à des propriétés encore mal connues des neutrinos. Des expériences sont en cours pour vérifier quantitativement la justesse de cette hypothèse. Peut-être le grand accélérateur du CERN à Genève nous éclairera-t-il sur ce sujet ? Les voici donc à nouveau au-devant de la scène, ces neutrinos si discrets et pourtant si importants. Sans eux on aurait bien failli ne pas exister.

CHAPITRE 2

« Il est vain de tirer sur les pétales d'un bouton de fleur pour accélérer son éclosion. »

Proverbe chinois

Dans ce chapitre nous poursuivons notre enquête sur les éléments qui ont joué un rôle important dans le déroulement de la belle-histoire.

Pourquoi a-t-il fallu attendre des milliards d'années pour que le cosmos puisse engendrer un être doué d'intelligence (sur notre Terre en tout cas…), capable de prendre conscience de lui-même et de l'Univers ?

Comme l'éclosion des fleurs et le mûrissement des fruits, l'accès à un nouveau niveau de complexité demande parfois une maturation des conditions physiques antérieures. Et cela peut prendre beaucoup de temps. Dans certains cas, cette maturation dépend également de l'occurrence d'événements aléatoires dont il n'est pas possible de prévoir les dates d'arrivée. Le hasard s'associe à la nécessité… Ce chapitre nous donnera quelques exemples de cette association en provenance du ciel et de la Terre.

1. Maturation du terreau galactique

Les structures vivantes sont constituées en majeure partie d'atomes de carbone, d'azote et d'oxygène. On les appelle « atomes fertiles ». On en observe partout dans l'Univers, dans les étoiles, ainsi que dans la matière nébulaire de notre Voie lactée. Avec d'autres atomes, ils constituent une sorte de « terreau galactique » à partir duquel peuvent naître les planètes et la vie.

Les noyaux de ces atomes sont formés par des réactions nucléaires dans des milieux de très hautes températures. Où et quand ont-ils été engendrés ?

On a d'abord pensé qu'ils venaient du brasier torride des premières minutes du Big Bang. On supposait que tous les atomes du cosmos, des plus légers aux plus lourds (l'uranium), provenaient de cette phase de structuration de la matière. Pourtant il a fallu se rétracter. Des calculs sur ordinateur ont montré que l'Univers s'est refroidi trop vite. Les séquences de réactions requises pour former ces éléments n'ont pas eu le temps de se produire. Seule une faible fraction de la matière cosmique initiale a pu se transmuter en nouveaux atomes (essentiellement de l'hélium) mais sans produire d'atomes fertiles. En d'autres mots, dans le Big Bang, la nucléosynthèse de ces éléments aurait pu être possible (les lois de la nature le permettaient) mais les conditions

48

n'étaient pas réunies (manque de temps). Retenons ce résultat.

À sa naissance, notre Galaxie, la Voie lactée, était composée uniquement d'hydrogène et d'hélium. De la contraction de ces gaz naquirent les premières étoiles qui illuminèrent les grands espaces froids. Dans le cœur de ces astres, la température croissante atteignit bientôt les valeurs requises aux réactions nucléaires. Et, cette fois, lors de durées suffisantes (millions, voire milliards d'années). Les conditions étaient alors rassemblées pour la formation des premiers atomes fertiles.

Ces astres ont parcouru le cycle de leur vie stellaire. À leur mort explosive, ils ont projeté dans l'espace leur moisson d'atomes nouveaux. Puis, en s'associant au hasard des rencontres, ceux-ci ont formé des molécules et des grains de poussières : les premiers solides de l'Univers. Ainsi, au cours des âges, des générations d'étoiles se sont succédé, chacune apportant sa contribution à la quantité d'atomes fertiles qui s'accumulaient lentement dans le terreau galactique. Tout cela s'est étendu sur des milliards d'années.

Quand le Système solaire s'est formé, des étoiles existaient déjà depuis huit milliards d'années. L'enrichissement du terreau galactique était maintenant suffisamment avancé pour permettre la formation de planètes solides. Sur la Terre, des nappes liquides aquatiques purent se déposer et héberger l'éclosion de la vie. Il aura fallu tout ce temps de maturation pour que la matière du terreau galactique puisse poursuivre la croissance de la complexité et atteindre les hauts niveaux de la biologie.

2. Les météorites font sauter les verrous

Le hasard, par définition, ne se contrôle pas, ne se programme pas. Pourtant, il joue un rôle essentiel dans l'organisation de la matière cosmique. Voici l'exemple d'un événement de nature aléatoire qui a changé d'une façon majeure l'évolution de la complexité sur la Terre.

Dans l'espace entre Mars et Jupiter, bien au-delà de l'orbite de notre planète, d'innombrables pierres de toutes dimensions gravitent autour de notre étoile. Nombreuses sont également celles dont les orbites croisent celle de la Terre. Des collisions peuvent alors se produire qui laissent des cratères gigantesques, atteignant parfois des centaines de kilomètres de diamètre. Leurs effets se font sentir sur d'immenses régions : feux de forêts, pluie de suies, destruction de la couche d'ozone, etc.

Il ne fait plus de doute aujourd'hui que de telles collisions ont pleinement participé à l'évolution de la vie terrestre. On a de bonnes raisons de penser, par exemple, que l'eau et les gaz qui constituent notre atmosphère proviennent de comètes et d'astéroïdes venus frapper notre planète aux premiers temps du Système solaire.

Ces collisions seraient également responsables de l'inclinaison de l'axe de la Terre sur son orbite. Et, en conséquence, de la ronde des saisons, du retour des fleurs dans les sous-bois au printemps et de la chute des feuilles à l'approche de l'hiver. L'une de ces collisions aurait engendré la Lune. On s'interroge sur l'importance historique de tels impacts quant à l'évolution de la faune et de la flore.

Il semble bien acquis aujourd'hui qu'une météorite tombée dans le golfe du Mexique soit responsable de l'extinction des dinosaures, il y a 65 millions d'années !

À cette époque, les mammifères existent déjà depuis longtemps. Ce sont de petits animaux nocturnes. Ils ressemblent aux singes arboricoles que l'on retrouve encore à Madagascar. Ils coexistent péniblement avec les dinosaures, qui occupent la plupart des niches écologiques sur la surface de la Terre. Pendant plus de cent millions d'années, à cause de cette difficile cohabitation, les mammifères évoluent peu et ne se diversifient guère. C'est ce que nous enseignent nos collègues paléontologues.

Tout change quand la météorite frappe le golfe du Mexique à Chicxulub. Les dinosaures succombent aux diverses perturbations provoquées par le choc. Pour des raisons, heureuses pour nous, mais sur lesquelles nous avons peu d'informations, certains mammifères survivent à l'épreuve. Ils se trouvent, après la chute, effectivement débarrassés des dinosaures par cette pierre grosse comme une montagne, tombée du ciel. Dès lors, ils entrent dans une phase d'évolution rapide, se multiplient, se diversifient et donnent naissance au fil du temps à la grande variété des mammifères actuels, jusqu'à nous-mêmes.

Notons au passage qu'une variété de petits dinosaures a quand même réussi à survivre à l'hécatombe. Munis d'os creux, donc légers, et de plumes, ils auraient développé des aptitudes à voler. Ils ont donné naissance à l'immense variété des oiseaux contemporains.

Relisons maintenant ces faits, a posteriori, du point de vue de l'avènement de l'intelligence. Il y a, d'une part, l'évolution biologique au cours de laquelle la matière, sous la pression de la sélection naturelle et des avantages adaptatifs, élabore des structures de plus en plus complexes et de plus en plus efficaces. Il y a, d'autre part, des « verrous » qui bloquent cette progression. Ici, un verrou se présente sous la forme du frein imposé sur l'évolution des mammifères par la présence des dinosaures. À Chicxulub, une météorite de quelques kilomètres de rayon qui errait depuis des milliards d'années dans l'espace interplanétaire rencontre notre planète sur sa course. Elle fait sauter le verrou et les mammifères retrouvent la possibilité d'évoluer et de se diversifier.

Il convient de rappeler que des collisions entre notre planète et des astéroïdes ont lieu depuis le début du

Système solaire et se poursuivront encore longtemps, au hasard des orbites perturbées. Celle de Chicxulub est arrivée à un moment approprié pour les mammifères. Cet événement imprévisible s'insère dans un long contexte géologique où il joue un rôle majeur. Après la chute et le refroidissement des sols, l'évolution des mammifères reprend son cours dans de nouvelles conditions et des innovations, impossibles jusqu'alors, peuvent se réaliser.

3. Une rupture africaine

Si l'on en croit plusieurs paléontologues, un autre événement géologique aurait eu une grande importance dans l'apparition de l'intelligence sur la Terre. Il y a une dizaine de millions d'années, le continent africain est le siège d'une profonde fracture territoriale qui le sépare en deux parties, le long d'un axe à peu près nord-sud. Il se forme alors ce qu'on appelle le grand *rift* africain. Cet événement engendre de profondes modifications climatiques. La partie Est du continent devient beaucoup plus sèche et la forêt équatoriale se transforme en savane. L'évolution invente alors la bipédie. Lucy (chère à Yves Coppens) court pour échapper aux prédateurs. (Aujourd'hui encore les humains sont les champions de la course d'endurance.)

De cette attitude bipède aurait émergé la libération des mains et le développement des facultés intellectuelles. En parallèle, le volume moyen de la boîte crânienne va croître de moins d'un demi-kilo à plus d'un kilo et demi. Le nombre de neurones et de connexions se multiplie prodigieusement.

Des phénomènes géologiques analogues à cette fracture africaine se produisent au hasard depuis longtemps partout sur la Terre. Rien de spécial ici, sauf que, comme la météorite Chicxulub du Mexique, celui-là aurait joué un rôle majeur dans l'apparition de l'intelligence sur la Terre. (Ajoutons cependant que ce scénario de la fracture africaine a été remis en cause par des découvertes paléontologiques récentes d'hominiens en Afrique de l'Ouest).

4. Maturation du terreau aérien

À ce point de la lecture et pour préparer à ce qui vient, je propose au lecteur de prendre une longue respiration, de sentir dans ses narines l'air qui y pénètre et de goûter la sensation agréable qui se dégage de cette action si naturelle.

Ce gaz qui entre en lui est le fruit d'une longue maturation de plusieurs milliards d'années à laquelle d'innombrables micro-organismes vivants ont apporté leurs contributions. Il est en mesure de lui procurer l'énergie dont son corps a besoin pour se maintenir en vie et permettre à ses neurones de se concentrer sur sa lecture. Il s'agit à nouveau d'une histoire de maturation d'un milieu physique. Une sorte de terreau aérien : l'atmosphère de notre planète.

Pour raconter cette histoire, partons d'une question posée par les paléontologues : pourquoi les êtres vivants, dont les premières manifestations remontent à près de quatre milliards d'années, sont-ils restés si longtemps minuscules, sous forme de micro-organismes marins, pendant près de trois milliards d'années) ? Pourquoi ce long délai avant l'arrivée des plantes et des animaux non seulement visibles à l'œil nu mais atteignant de grandes dimensions comme les baleines et les séquoias ?

La réponse est maintenant connue. Elle est liée à la respiration de tous ces micro-organismes antiques qui, au cours des âges, a profondément affecté notre atmosphère. L'oxygène dégagé par cette opération l'a modifié dans un sens propice à l'extraction de l'énergie par les processus vitaux.

Croissance de l'oxygène atmosphérique

À la naissance de la Terre, son atmosphère ne contient pas (ou peu) d'oxygène. Les premiers vivants sont des algues et des bactéries qui obtiennent leur énergie en utilisant les substances minérales de la Terre primitive. Les générations de micro-organismes se succèdent et rejettent en tant que déchets des molécules d'oxygène qui s'accumulent dans l'atmosphère.

Mais le rendement énergétique de ces substances est faible. Il est insuffisant pour satisfaire longtemps les besoins de l'évolution biologique, qui devient de plus en plus gourmande en énergie. D'autres cellules vivantes apparaissent alors qui apprennent à respirer l'oxygène. L'apport en énergie de cette respiration est beaucoup plus élevé. Des organismes de plus en plus complexes et de plus en plus énergivores peuvent se constituer dans le cadre de l'évolution darwinienne.

Il y a environ deux milliards d'années, l'oxygène constitue déjà 1 % de l'atmosphère… À cette densité, l'apport énergétique de la respiration de l'oxygène permet de puissantes innovations dans le courant de l'évolution biologique, notamment l'apparition des cellules munies d'un noyau central dans lequel sont enfermées les instructions nécessaires au déroulement des activités vitales : le génome. Là seront enregistrées les modifications génétiques responsables de l'évolution des espèces. Elles donneront naissance, à leur heure, à toutes les plantes et tous les animaux. Pourtant, comme souvent, il faut encore attendre.

Coup de théâtre il y a huit à six cents millions d'années, quand l'oxygène dépasse 5 %. Nous assistons à une nouvelle ascension dans l'organisation des vivants. Les cellules apprennent à s'associer. Puis elles vont se fédérer en organismes où chacune jouera un rôle spécifique avantageux pour l'ensemble. C'est l'« explosion du Cambrien » où apparaissent les premiers vivants de grandes dimensions. On les retrouve aujourd'hui sous forme de coquillages marins fossiles.

Notons qu'à cette époque, la vie est encore confinée aux nappes aquatiques. Résider sur le continent, dans l'air, exige une concentration en oxygène plus élevée encore que dans l'eau. Les branchies ne suffisent plus, il faut des poumons. C'est la prochaine innovation de la nature.

L'accès aux continents aura lieu quand la concentration en oxygène atteindra plus de 15 %. L'intensité énergétique disponible permet alors l'évolution biologique et la diversification des plantes et des animaux. Selon la séquence mise en évidence par les paléontologues, on verra apparaître les amphibiens, les reptiles et les mammifères. Puis, il y a quelques millions d'années, les primates, les singes, et les humains.

Les observations au moyen de l'imagerie cérébrale nous montrent que l'activité du cerveau est une grande consommatrice d'énergie corporelle. La composition atmosphérique, riche de 21 % d'oxygène, est bien adaptée à cette opération coûteuse. La vie peut se propager sur l'ensemble de la planète et atteindre les niveaux de complexité que nous lui connaissons aujourd'hui. Le cerveau humain, siège de la plus haute forme de l'intelligence connue sur la Terre, est devenu possible.

Sortir de l'eau : la couche d'ozone

La constitution de la fameuse couche d'ozone, aujourd'hui menacée par l'activité humaine, est un autre phénomène important pour l'évolution des êtres vivants. Elle joue un rôle crucial dans la sortie de l'eau et l'accès aux zones émergées. Cette couche se situe dans l'ionosphère, à environ 50 kilomètres au-dessus de nos têtes.

Aux premiers temps de la Terre, les continents, bombardés par les rayons ultraviolets du Soleil, n'étaient pas favorables à l'arrivée des plantes et des animaux. Les membranes des cellules n'y auraient pas résisté. Mais, grâce à la respiration des organismes et à l'augmentation de la concentration en oxygène, une nouvelle maturation se produisait là-haut. Le bombardement des rayons ultraviolets sur les hautes couches atmosphériques allait progressivement transformer une petite fraction de l'oxygène en ozone. L'ozone est une molécule composée de trois atomes d'oxygène tandis que l'oxygène que nous respirons n'en contient que deux. Or il se trouve que ces molécules d'ozone absorbent fortement les rayons ultraviolets, formant ainsi un bouclier qui protège la surface de la Terre contre ces rayonnements nocifs aux vivants.

La couche d'ozone s'est formée progressivement pendant les premiers milliards d'années de la planète, en parallèle avec l'accroissement de l'oxygène atmosphérique. Résultat : à leur apparition, il y a quelques centaines de millions d'années, les premiers grands organismes trouvent la protection nécessaire pour s'installer sur les continents.

Lecteur, prends encore une longue respiration ! Sens l'air frais qui monte dans ton nez. Les atomes qui entrent en toi ont été respirés d'innombrables fois dans les derniers milliards d'années. Leur carrière a commencé dans les eaux tièdes où la vie est née sous forme de microscopiques organismes marins. Ils sont passés par les branchies des trilobites ainsi que dans celles des grands poissons aux carapaces rigides. Ils ont été aspirés dans les vaisseaux dressés à la verticale des fougères, des prêles géantes et des ginkgos aux feuilles dorées. Ils ont été accueillis dans les premières ébauches de poumons des Léviathans de l'époque jurassique. Ils se sont intégrés dans le parfum subtil des plantes à fleurs pour séduire les insectes transporteurs de pollens. Et pense aussi aux innombrables êtres humains, tes ancêtres, qui ont profité de cette manne indispensable lentement apprêtée par la nature avec le concours des microscopiques organismes marins, toujours à l'œuvre dans les océans. Au-dessus de la surface, au-dessus de chaque vague, le lent flux des nouvelles molécules d'oxygène se poursuit continuellement.

Je ne connais pas de plus bel exemple de l'unité des processus de la vie sur Terre et de l'interdépendance de tous les facteurs, solides, liquides et gazeux. Pas de plus bel exemple de cette maturation des terreaux qui prépare l'accès à toujours plus d'innovations. Nous avons sous les yeux une optimisation des conditions initiales de la matière dans un sens favorable au jeu favori de la nature, créer toujours plus de complexité !

Une énigme amusante : dans ce contexte de l'apparition de l'intelligence, on peut se demander si la possibilité de vivre au sec plutôt que dans l'eau est une condition nécessaire à l'accès aux niveaux les plus élevés de la complexité cosmique ? En d'autres mots, un « Einstein dauphin » habitant les abîmes océaniques aurait-il pu découvrir la théorie de la relativité générale ? Une communauté de pieuvres aurait-elle pu construire le télescope spatial ?

5. Maturation du terreau végétal

Les paysages islandais nous offrent en spectacle certaines séquences temporelles qui sont favorables à la naissance et à la persistance de la vie. Ils mettent sous nos yeux la transformation des déserts de sable noir en prairies verdoyantes.

Les éruptions volcaniques, fréquentes en terre islandaise, éliminent la végétation sur d'immenses territoires. Elles laissent derrière elles des paysages de désolation qui évoquent les premiers temps de la Terre. Selon la durée écoulée depuis la dernière éruption volcanique (années, décennies, siècles), on peut observer en cheminant sur l'île les étapes du retour de la végétation dans les lieux dévastés. Chaque cratère en illustre une phase différente.

Une première phase voit apparaître, apportées par les vents et les insectes, des mousses qui se nourrissent uniquement de pluie, d'air ambiant et de quelques substances minérales (sels variés dissous dans l'eau). Ces organismes se développent, vivent et meurent, laissant des matières organiques en décomposition qui s'imbibent du ruissellement des averses : les premières couches d'humus se déposent.

Arrivent alors des colonies de fougères. Les formes visibles des pierres s'arrondissent sous le tapis végétal qui les recouvre progressivement. Le gris-noir des cailloux volcaniques se couvre de teintes vert foncé.

À chaque étape, le terreau issu des phases précédentes devient de plus en plus fertile et permet l'éclosion de plantes nouvelles. Il s'émaille de charmantes fleurettes.

On les voit de loin. On y accourt. On se penche très bas pour en percevoir toute la beauté.

Puis, à la fin de leur vie, ces plantes tombent au sol où elles déposent les variétés de molécules qu'elles ont engendrées selon leur activité végétale spécifique. Et le cycle se poursuit. Sur ces terrains enrichis, de nouvelles plantes peuvent se développer, s'installer et vivre leur vie. Puis, à leur tour elles meurent en rendant au terreau les molécules qu'elles ont synthétisées. Nous retrouvons ici une nouvelle séquence des maturations qui se poursuivent au cours des siècles.

Ces phénomènes islandais sont à l'image des premiers temps de notre planète. La Terre, à sa naissance, était une boule de lave incandescente à plus de mille degrés. Il a fallu des millions d'années pour qu'elle se refroidisse et que la vapeur d'eau qu'elle contenait dans son atmosphère puisse se condenser en nappes aquatiques. Par des processus qui nous sont encore largement mystérieux, des cellules vivantes sont apparues. Sur les continents, l'érosion a fait son travail de dégradation des pierres. Le terreau a commencé à se former où les plantes pionnières se sont progressivement établies. Occasionnellement brûlée par les chutes de météorites et les volcans, la vie rejaillit de ses cendres comme l'oiseau Phénix. Le hasard et la nécessité sont à l'œuvre et réalisent les innombrables innovations de la nature.

DEUXIÈME PARTIE

LA MOINS-BELLE-HISTOIRE

CHAPITRE 3

L'émergence de l'intelligence

Nous abordons maintenant l'ensemble des éléments qui sont à la racine de la seconde histoire, la moins-belle-histoire, celle qui nous amène à la crise écologique contemporaine.

Il nous apparaît clairement que les problèmes auxquels nous sommes confrontés aujourd'hui (détérioration planétaire provoquée par la pollution généralisée, réchauffement climatique, érosion de la biodiversité) proviennent, en dernière analyse, de l'apparition dans l'évolution biologique d'une espèce, la nôtre, munie d'une propriété unique dans le monde animal : l'intelligence de haut niveau qui nous caractérise.

De nombreux auteurs de vulgarisation scientifique affirment que la « nature n'a pas de projet ». Tout dépend, il me semble, du sens que l'on donne au mot projet. Si on l'envisage comme un but prédestiné vers lequel l'évolution biologique tendrait, je suis d'accord. Je ne crois pas que l'intelligence était « destinée à apparaître ». Elle était simplement possible (compatible avec les lois de la physique) et cela a suffi à la faire émerger dans le territoire des réalisations de la nature quand les conditions ont été favorables. Les premiers chapitres de ce livre ont illustré plusieurs éléments cosmiques et planétaires qui ont joué des rôles dans son apparition et son évolution.

Bien que présente d'une façon plus ou moins embryonnaire chez nombre d'espèces animales (oiseaux, reptiles), c'est chez les mammifères, en particulier les grands singes et leurs descendants, que nous allons voir l'intelligence émerger dans sa plus grande splendeur. Pourquoi là plutôt qu'ailleurs ? Pourquoi chez les primates plus que chez les félins, les éléphants ou les corneilles ? En quoi étaient-ils particulièrement favorisés à cette haute destinée ? D'autres espèces auraient-elles pu se lancer dans cette aventure si les primates avaient été éliminés par quelque malencontreuse météorite ? Et qui sait quelle espèce serait apte à s'engager sur cette voie si nous devions disparaître ?

Le territoire natal des premiers humains s'étend en Afrique, de l'Éthiopie au Zimbabwe. Grands voyageurs, on retrouve plus tard leurs traces jusqu'en Eurasie. À cette époque, des périodes glaciaires se succèdent régulièrement. La dernière débute il y a un peu plus de cent mille ans, alors que plusieurs familles d'humains habitent encore notre planète. Elles sont plus ou moins isolées par la géographie. Il y a l'homme de Neandertal en Europe, l'homme de Denisova en Afrique (Afrique du

Sud), l'homme de Flores et celui de Java en Indonésie, l'homme moderne (*Homo sapiens*, nous) en Afrique et en Asie méridionale et probablement plusieurs autres.

L'abaissement du niveau marin, suite à cette dernière glaciation, va remettre ces familles en contact. Puis elles disparaissent toutes, sauf la nôtre. Le Neandertal s'éteint il y a trente-cinq mille ans et le Java il y a soixante-dix mille ans. La responsabilité de nos ancêtres dans ces éliminations est un sujet très discuté.

Aujourd'hui, nous sommes les seuls survivants de la grande famille des humains, les seuls dépositaires de l'intelligence à son plus haut niveau, celui qui va l'impliquer comme élément moteur de la moins-belle-histoire.

Grâce à leur intelligence, les humains apprennent à faire du feu et élaborent des armes de plus en plus efficaces pour mieux lutter, d'abord contre l'hostilité de leur environnement naturel, puis, aussi, contre leurs congénères. Successivement au cours des âges, le lance-pierres, l'arc, le fusil, le canon, la bombe nucléaire forment une séquence d'innovations révélatrice de l'ampleur des prouesses que permet l'intelligence.

Cette séquence suffit à nous montrer les problèmes que cette même efficacité implique pour l'avenir de la vie terrestre. Cette formidable évolution de l'armement qui, au départ, a permis la survie des hommes préhistoriques va servir à la guerre entre les humains. Atteignant une puissance inouïe avec l'arme nucléaire, elle va mettre l'humanité au bord de sa propre extermination.

Ce scénario ne s'applique pas qu'à l'armement. On le retrouve en de nombreux domaines relatifs à l'épuisement des ressources naturelles. Aujourd'hui les pêcheries prennent, grâce à l'efficacité prodigieuse des techniques modernes, des dimensions telles que l'on voit s'effondrer des espèces entières et que les océans et les lacs se vident rapidement. De même, les forêts disparaissent inexorablement sous les coups de boutoir des monstres mécaniques de la foresterie et laissent à leur place des déserts.

Voilà en résumé l'objet de la moins-belle-histoire : le rôle de l'intelligence, au début très positif pour la sauvegarde de notre espèce, s'avère progressivement négatif quand l'efficacité des techniques en vient à la menacer dans son existence même.

Dans ce chapitre, nous retrouvons ce thème en détail en revenant sur des témoignages d'écrivains de ces derniers millénaires.

1. Un conte de Platon

Comment l'être humain, une espèce récemment apparue sur notre planète, en est-il venu à prendre une importance aussi grande et à jouer un rôle si démesuré par rapport aux autres espèces animales qui peuplent la Terre depuis des milliards d'années ?

Nous ne sommes pas les premiers à réfléchir à l'impact de la puissance humaine et à sa responsabilité dans ce qui a abouti à la crise écologique contemporaine. On relève les expressions de cet étonnement inquiet dans plusieurs écrits de la littérature mondiale.

Il y a plus de deux mille ans, le philosophe grec Platon lui assigne une origine mythologique. Dans *Le Banquet*, il raconte la fable qui suit (réarrangée avec mes mots) :

> C'est au moment très ancien où, avec un mélange de terre et de feu, les dieux façonnent la multitude des êtres vivants. Cela fait, ils demandent à Prométhée et à son frère Épiméthée, connu pour son étourderie, d'attribuer à chacun des êtres des avantages variés et spécifiques pour les aider avec leurs moyens particuliers à survivre dans un monde hostile. Épiméthée intervient alors pour demander à son frère de lui confier cette tâche. «Tu contrôleras après», ajoute-t-il. Et il se met à l'œuvre. À l'un, il donne la force physique, mais pas la vitesse (on pense à l'hippopotame) tandis qu'à un autre, ce sera l'inverse (par exemple, la gazelle). Certains animaux de petites tailles peuvent voler, d'autres peuvent creuser des abris souterrains. Pour les gros animaux (les éléphants ou les baleines) c'est la dimension corporelle qui sert de protection. À ceux qui allaient vivre dans les régions de grand froid, il attribue une fourrure épaisse (ours), à tels

autres, des sabots de corne (gazelle), des griffes solides (condor). De plus, selon leurs besoins alimentaires, il procure à chacun des herbes, des fruits, des racines et des viandes. La fécondité est attribuée aux espèces qui se dépeuplent vite (les lapins). L'idée est de donner à chacun des chances égales pour éviter d'être exterminé dans la confrontation avec la dure réalité. Mais il a oublié l'espèce humaine. Prométhée, revenu pour faire son inspection, aperçoit au milieu des animaux convenablement pourvus, l'homme nu, sans fourrure, désarmé, qui se prépare à entrer dans le monde. Il faut l'aider. Il a alors l'idée de lui donner l'intelligence et le génie créateur. Il lui apprend à faire le feu, les pièges, les armes pour survivre avec sa famille parmi les bêtes féroces. L'intervention de Prométhée fait miracle. Grâce à ce cadeau, l'humanité réussit à résister à l'hostilité de son environnement. De leur statut précaire d'êtres faibles et menacés, les humains deviennent l'espèce la plus puissante et dominatrice de la nature.

2. Des témoignages : Sophocle et Shéhérazade

À son tour, vers la même époque, Sophocle, dramaturge de l'Antiquité grecque, évalue la situation par la voix des chœurs d'Antigone. Stupéfait des prouesses accomplies par notre lignée, il laisse voir son admiration sur le thème « rien n'est plus merveilleux que l'homme » :

« Même par-delà la mer écumante, sous l'orageux vent du Nord, il s'avance franchissant les ondulations des vagues rugissantes.

La terre, l'impérissable, l'infatigable, il la tourmente, ses charrues attelées aux mules nées des cavales y menant la ronde pour la retourner d'une saison à l'autre. Le peuple des oiseaux à la tête légère, il les enveloppe dans ses panneaux avec les espèces des bêtes sauvages, sans oublier les habitants de la mer salée qu'il prend aux replis de ses filets, cet homme astucieux. Grâce à ses pièges, il se rend maître des quadrupèdes qui fréquentent les cimes ; puis il soumet au collier recourbé le cheval à l'encolure chevelue ; pareillement pour le taureau indompté des montagnes. »

Mille ans plus tard, voici la voix charmeuse de Shéhérazade, princesse des *Mille et Une Nuits*, sur le même thème :

« Le fils d'Adam traque les poissons et les tire des mers ; il tue les oiseaux avec des billes d'argile et abat les éléphants grâce à ses pièges astucieux. Nul n'est à l'abri de ses méfaits et ni l'oiseau ni la bête ne peuvent lui échapper. »

Le concert est unanime sur des milliers d'années. La puissance dominatrice des hommes est sans comparaison avec celle des autres espèces. Des éléphants aux mésanges, elles ont toutes appris à le craindre et à le redouter. La méfiance vis-à-vis des humains s'est progressivement inscrite dans le comportement d'un grand nombre d'espèces.

3. Lacépède

L'impact de l'intelligence humaine et des puissantes technologies qu'elle a mises à notre service s'amplifie sans cesse au cours des siècles et sur tous les continents. Au XVIIIᵉ siècle, les dégâts observés accablent les pionniers de la biologie quand ils en prennent la mesure. Décroissances rapides des populations, extinctions largement amorcées, telles sont souvent les conclusions des estimations. Les hécatombes sont particulièrement désastreuses chez les grands animaux (la mégafaune) et les oiseaux qui nichent au sol (les imprudents!).

Voici, au XIXᵉ siècle, un témoignage du zoologiste français Bernard Germain de Lacépède:

« C'est ainsi que les géants des géants (les baleines) sont tombés sous ses armes; et comme son génie est immortel, et que sa science est maintenant impérissable, parce qu'il a pu multiplier sans limites les exemplaires de sa pensée, ils ne cesseront d'être les victimes de son intérêt que lorsque ces énormes espèces auront cessé d'exister. C'est en vain qu'elles fuient devant lui : son art le transporte aux extrémités de la terre ; elles n'ont plus d'asile que dans le néant. »

Ces textes nous ramènent au conte de Platon. Le cadeau de l'intelligence a permis aux humains de survivre dans un contexte difficile. Voici la suite :

C'est alors que de nouveaux problèmes se présentent. Des conflits s'élèvent. L'intelligence ne suffisait pas à assurer une coexistence pacifique. Les injustices se multiplient et la vie commune devient invivable.

Il ne faut pas beaucoup d'imagination pour voir dans ce conte comme une allégorie de l'histoire de l'humanité. L'intelligence est mise en demeure d'affronter les manifestations de son propre succès. C'est en peu de mots le nœud de la crise écologique contemporaine.

4. Les pièces à conviction

L'histoire des interactions entre les premiers humains et la faune nous a été racontée par les fouilles des paléontologues. Les premiers éléments de cette histoire nous ont été indirectement livrés dans l'Antiquité par les exhumations de squelettes, quelquefois énormes, qui ne semblaient correspondre à aucune espèce vivante connue. Et les premiers écrits sur ces phénomènes, par les philosophes grecs Anaximandre et Xénophane, datent du Vᵉ siècle avant J.-C.

Ayant observé des coquillages encastrés dans la pierre, ces auteurs avaient correctement attribué leur origine à des créatures aquatiques dont les squelettes s'étaient déposés dans les boues du fond de l'océan.

Mais pourquoi ces espèces animales avaient-elles disparu de la Terre ? Dans la tradition chrétienne, on en a imputé la cause au déluge biblique. Il s'agissait d'animaux « antédiluviens », noyés dans les eaux déclenchées par la colère divine. (Une légende iranienne datant de plusieurs milliers d'années met en scène une bête terrible appelée griffon. Certains archéologues pensent que ce monstre aurait été inspiré aux narrateurs par les restes d'un dinosaure appelé Protocératops.)

Au Xvᵉ siècle, Léonard de Vinci reprend l'idée des philosophes grecs et l'élargit aux traces fossiles laissées dans les sédiments. Il note que ces traces n'apparaissent que dans les roches sédimentaires, ce qui confirme leur origine marine. Il oppose à l'idée du Déluge le fait que les fossiles apparaissent à des niveaux différents et ne peuvent donc pas avoir été le résultat d'un unique événement. Si ces animaux avaient été effectivement éliminés par le Déluge, leurs ossements devraient alors se cantonner dans la même strate géologique (le fond de l'océan). Comme on en a découvert à des niveaux très différents, certains répondaient qu'ils avaient été déposés de cette façon par Satan pour dérouter la foi des Chrétiens…

L'archéologie de terrain se développe en Europe aux XVIIIe et XIXe siècles. Il semble que les textes de la Bible et de la littérature classique gréco-romaine aient joué un grand rôle dans la naissance de cette activité. Retrouver des traces dans des sites où ont eu lieu des événements importants comme Jéricho ou Troie ont été de puissantes motivations.

Il faut se rappeler que l'histoire ancienne acceptée par les Chrétiens est celle de la Bible, selon laquelle le monde a été créé il y a six mille ans. Le naturaliste Buffon (1707-1788) est l'un des premiers à affirmer que la Terre est beaucoup plus ancienne. Il parle d'au moins soixante mille ans !

C'est grâce à l'étude des formes de vie fossilisées, en utilisant des techniques scientifiques, que les biologistes du Siècle des lumières ont découvert les premières pièces à conviction du comportement ancestral de notre lignée. En 1787, juste avant le début de la Révolution française, Georges Cuvier (1769-1832) et son équipe de chercheurs découvrent en Sibérie des ossements de taille gigantesque. Ils les attribuent à une lignée maintenant disparue et dont les éléphants seraient les descendants.

Un événement capital pour notre sujet fut la découverte en 1844, à Abbeville en France, par Jacques Boucher de Perthes, d'un véritable charnier d'ossements d'animaux antédiluviens mélangés à des haches de pierre. Ce fait impliquait la coexistence des humains avec ces animaux.

Cette affirmation, rejetée au départ par une partie de la communauté scientifique, fut confirmée en 1864 par la découverte en Dordogne d'un dessin de mammouth. Les haches, les ossements et les gravures rupestres racontaient maintenant le début d'une nouvelle histoire. Celle de l'élimination progressive d'une fraction importante des espèces animales par nos ancêtres…

5. Le choc archéologique

On peut aujourd'hui établir une chronologie crédible de la propagation de notre espèce humaine sur les différents espaces continentaux de notre planète. Ces pérégrinations peuvent être retracées par deux méthodes scientifiques différentes.

La première est celle des fouilles archéologiques sur les lieux où nos ancêtres ont laissé des traces. Dans les décombres, on trouve des ossements d'une grande variété qui nous renseignent sur les résultats de leur chasse.

La seconde consiste à étudier les traces imprimées

dans le génome des humains au cours de cette longue histoire. L'analyse de l'ADN des populations présentes nous permet de reconstituer avec une bonne précision les cheminements de nos ancêtres. Chaque méthode a ses qualités et ses défauts mais la concordance observée, même si elle est loin d'être toujours parfaite, nous rassure quant à la valeur de cette reconstitution des migrations historiques de nos ancêtres.

Pérégrinations antiques

Les humains (nous-mêmes, appelés *Homo sapiens*) apparaissent en Afrique il y a environ deux cent mille ans. Leurs premières migrations hors de l'Afrique datent d'environ cent mille ans. À cette époque, la Terre traverse une période glaciaire. Le niveau de la mer est environ 120 mètres plus bas que maintenant. De nombreuses terres aujourd'hui séparées étaient en contact (par exemple l'Amérique et l'Asie). Ce fait va jouer un rôle considérable dans l'histoire des migrations.

Le départ de l'Afrique se fait par le Nord-Est, aujourd'hui l'Égypte et le Proche-Orient. Plusieurs parcours sont retracés. Le premier vers l'Europe, la France et le nord de l'Espagne est accompli il y a environ quarante-cinq mille ans. Le second va vers l'Est, tout au long de la côte de l'océan Indien vers le Sud-Est asiatique. L'Australie est atteinte il y a environ cinquante mille ans. Poursuivant leur route vers l'Est, il y a environ vingt mille ans, les humains traversent à pied sec le détroit de Behring pour progresser d'une part tout au long de la côte Pacifique de l'Amérique et d'autre part vers la côte Atlantique de l'Amérique du Nord où les plus vieux sites remontent à environ quinze mille ans.

Le saccage planétaire

Et nous en venons à notre second point : nous pouvons mettre en corrélation les dates d'arrivée des humains sur une terre nouvelle et l'élimination de très nombreuses espèces attestée par les ossements ou autres traces qu'elles ont laissées. La corrélation est suffisamment impressionnante pour devoir y reconnaître une relation de cause à effet. Et arriver à cette constatation navrante : depuis cent mille ans, l'humain saccage sa planète. Partout où il passe, une multitude d'espèces, grands mammifères, oiseaux variés, plantes endémiques, qui existaient depuis des millions d'années, sont exterminées jusqu'aux dernières.

Cette histoire du saccage planétaire de la faune par l'humanité émerge de recherches scientifiques hautement crédibles. Il faut la connaître. Il faut la raconter. Elle ne nous fait pas honneur. Elle fait partie de notre passé. Sa découverte a provoqué chez les scientifiques ce qu'on a appelé le « choc archéologique ».

Il importe de noter cependant, circonstance atténuante, que les premiers humains n'avaient pas la vie facile. Comme le décrit le conte de Platon, la nature les a mal lotis face aux exigences de la survie dans des milieux hostiles. Ils n'ont pas la force des buffles, ni les défenses des éléphants, ni les dents des tigres, ni la vitesse des gazelles, ni la carapace des tortues, ni le venin des serpents. Le seul atout face à la fragilité de leur corps est l'intelligence : savoir fabriquer des armes, poser des pièges, refouler les troupeaux de ruminants vers les falaises et les faire tomber. C'est grâce à cet atout majeur que l'humanité a réussi à survivre. Nous lui devons d'être sur Terre en ce moment.

Mais à quel prix pour les espèces vivantes qui partagent notre lieu d'existence, la Terre ? Le chapitre suivant va s'attarder sur les péripéties de ce qu'on peut véritablement appeler un saccage à l'échelle planétaire.

CHAPITRE 4

Les extinctions

On peut distinguer trois grandes vagues dans le saccage de la faune par nos ancêtres. Elles correspondent assez bien au développement des techniques de déplacement et d'armement des humains. La première vague date de plusieurs dizaines de milliers d'années et correspond à l'époque des armes rudimentaires : flèches, lances et pièges astucieux. Elle est confinée aux territoires que l'on peut atteindre à pied sec, les îles variées dans les mers de la planète ne sont pas concernées. La deuxième vague commence il y a quelques milliers d'années avec les débuts de l'élevage et de l'agriculture, et la troisième vague, au XIXᵉ siècle, avec l'entrée en jeu des technologies de l'ère industrielle.

1. La première vague

Pour redonner à l'histoire sa dimension dramatique, je vais présenter trois animaux préhistoriques, victimes de cette première vague d'extermination : les mastodontes, les mammouths et les smilodons (tigres à dents de sabre). On trouve leurs squelettes reconstitués dans les grands Musées d'histoire naturelle. Les enfants les connaissent et se passionnent un temps à leur sujet. Les cinéastes en font des thèmes de reconstitution de scènes préhistoriques pour des films à grand spectacle.

Les mastodontes

Ces animaux immenses atteignaient 3 mètres de hauteur. Une grande famille de mastodontes habitait l'est de l'Amérique. On évalue à trente-cinq millions d'années dans le passé la date de leur apparition. Ce sont les ancêtres lointains des mammouths, eux-mêmes ancêtres de nos éléphants. Ils disparaissent il y a environ neuf mille ans.

Les mammouths

Le voyageur qui entre pour la première fois dans la grotte de Combarelles dans le Midi de la France peut imaginer la terreur que le mammouth peint sur la paroi pouvait inspirer aux hommes préhistoriques en quête d'un habitat.

Les mammouths apparaissent il y a environ trois millions d'années. Ils occupaient une grande partie de l'Eurasie, du Kamtchatka sibérien jusqu'en Espagne. On en a identifié plusieurs espèces. Le mieux connu est le mammouth laineux habillé d'une épaisse fourrure dont les poils mesuraient presque un mètre de longueur.

Il y a un million et demi d'années, une espèce de mammouths gagne l'Amérique du Nord par le détroit de Behring (alors à sec) et se répand jusqu'en Californie On en retrouve des traces datant de trente-cinq mille ans dans des îles côtières.

L'élimination massive des mammouths date de douze à dix mille ans. Beaucoup se sont enlisés dans des marais sibériens où le froid les a bien conservés. Les chasseurs préhistoriques les auraient refoulés dans ces zones pour les laisser mourir de faim et en récupérer la chair. Les dernières traces de mammouths proviennent de l'île Wrangel, au Nord-Est de la Sibérie. Elles datent de six mille ans. Hier…

Les smilodons

Le smilodon est le plus gros félin qui ait vécu sur la planète. Son poids pouvait atteindre 400 kilogrammes. Son aire de répartition couvrait l'Europe et l'Asie. Avec ses deux énormes canines pendant à la verticale et ses mâchoires qui s'ouvraient à 120°, il est l'image emblématique du prédateur préhistorique. On a trouvé une dent de smilodon encastrée dans le crâne d'un loup. On pense qu'il pouvait également se nourrir de mammouth.

Les plus vieilles traces de smilodon remontent à près de deux millions d'années. Il a traversé plus d'une dizaine de périodes glaciaires et s'est éteint il y a environ onze mille ans.

Il faut considérer les échelles de temps dont il est question ici pour en avoir le vertige. La juxtaposition des chiffres parle d'elle-même. Le mastodonte apparaît il y a trente-cinq millions d'années, le mammouth il y a trois millions d'années, le smilodon il y a plus de deux millions d'années. Les trois disparaissent, il y a environ dix mille ans ! À ces échelles de durée, leur disparition est quasi simultanée ! De plus, cette date coïncide avec l'apparition des humains sur leurs zones d'habitation. Voilà de quoi ressentir de plein fouet le choc archéologique.

On a longtemps associé ces disparitions à la rigueur de la dernière glaciation qui s'est terminée il y a environ quinze mille ans. Mais nous devons considérer la situation de plus près. Cette glaciation n'est, historiquement, que la dernière d'une série de plusieurs dizaines de glaciations antérieures. Elles se sont succédé à peu près tous les cent mille ans depuis plusieurs millions d'années. Ces animaux ont survécu aux précédentes glaciations. Pourquoi la dernière aurait-elle été, à elle seule, si meurtrière ?

La version la plus communément admise par les

paléontologues, c'est que ces animaux ont succombé à l'action conjointe de la dernière glaciation et des chasseurs humains.

ADN et archéologie

Chaque goutte de notre sang contient un livre d'histoires écrit dans la langue de nos gènes.

SPENCER WELLS

On peut reconstituer notre généalogie humaine à l'échelle préhistorique en arpentant la Terre à la recherche des traces et fossiles laissés par nos ancêtres les plus lointains. On peut aussi le faire en étudiant les cellules de nos corps. C'est le message que nous donne la généalogie moléculaire.

Notre corps est composé d'environ 200 variétés de cellules, telles que les globules rouges, les neurones, les cellules de la peau, etc. Chacune de ces cellules incorpore un noyau dans lequel sont inscrites, comme dans un grand livre, toutes les instructions nécessaires au bon fonctionnement de la vie. Ce code se présente pour les humains sous la forme de 46 unités appelées «chromosomes», dont la forme évoque deux lettres V attachées par leur sommet. Le chromosome est en fait formé lui-même d'un enroulement serré d'une très longue molécule appelée «ADN» en forme de double hélice.

Cette dernière molécule est elle-même composée d'une succession de 4 lettres (A, C, G, T) qui forme comme un texte. Il y en a plusieurs milliards. Comme dans une phrase, c'est l'ordre des lettres qui détermine l'information génétique. Cette information est transmise aux différents éléments de la physiologie et détermine le comportement de l'organisme. Le mot « génome » est utilisé pour décrire l'ensemble du matériel génétique d'un être vivant.

Disons d'abord que le génome de tous les humains est pratiquement identique sur l'ensemble de la planète. Les différences ne dépassent pas une partie pour mille. Mais ce sont ces différences qui contiennent les secrets de nos destinées antérieures. Alors comment lire cette histoire ? Le secret tient en un mot « mutation ». Au cours du temps, des modifications adviennent dans le code génétique d'une personne. Une ionisation produite par un rayonnement cosmique ou une cause chimique peut altérer localement la séquence, soit par permutation des lettres, soit par d'autres modifications. Ce changement au sein d'un gène est capable de modifier le message transmis au corps par ce gène. L'effet est soit bénéfique, néfaste ou simplement nul. Il peut, par exemple, provoquer une maladie génétique.

Prenons la forme du chromosome Y propre aux mâles. Chez les gens qui vivent en Afrique et qui sont de source africaine, on retrouve une configuration spécifique de lettres. Mais chez les émigrants non-Africains on observe, de surcroît, une série d'ajouts successifs selon les régions de naissance. Le principe est simple : ceux qui possèdent un ajout spécifique proviennent d'une lignée apparue plus tard (issue d'une mutation tardive) que ceux qui ne l'ont pas.

Par exemple, un ajout nommé « M168 » apparaît il y a environ 50 000 ans, on le retrouve chez tous les non-Africains ; l'ajout « M9 » apparaît il y a 40 000 ans en Asie Centrale ; l'ajout « M3 », dans la population asiatique qui a atteint l'Amérique il y a environ 15 000 ans. Ainsi, en décryptant l'ADN de différentes populations, on établit des séquences chronologiques qui permettent de reconstituer les mouvements migratoires sur un continent. Les mesures du temps (par des méthodes radioactives) peuvent alors servir à dater ces mouvements.

L'extinction australienne

Quand, il y a environ cinquante mille ans, les humains ayant traversé le continent asiatique arrivent sur les rives de l'océan Pacifique, le niveau de la mer est d'une centaine de mètres plus bas qu'aujourd'hui. La plupart des territoires indonésiens étaient alors abordables à pied sec ou au moyen de radeaux rudimentaires. Les études géologiques montrent que plusieurs intrusions humaines ont eu lieu en Australie vers cette époque.

Sur cette île vivaient une variété d'animaux de très grande taille, inconnus ailleurs. (Rien d'étonnant à cela : ce territoire est séparé des autres masses continentales depuis plusieurs centaines de millions d'années. La théorie de l'évolution prévoit en effet que les espèces isolées évoluent séparément et créent de nouvelles lignées.) Certaines bêtes dépassaient deux à trois tonnes, comme le wombat géant à l'aspect redoutable de rhinocéros. On y trouvait des sortes de kangourous géants, des lézards de plus d'une tonne (beaucoup plus gros que le varan de Komodo), des oiseaux de plus de deux mètres de hauteur incapables de voler, et des lions marsupiaux aux mâchoires impressionnantes.

Des études dans les lieux de fouilles montrent que les nouveaux arrivants humains ont coexisté avec ces animaux. Des récits traditionnels racontés par les conteurs autochtones mettent en scène des figures animales aujourd'hui disparues mais proches de certains dessins rupestres trouvés en Nouvelle-Galles du Sud. Confrontée aux humains et à leurs pièges, leur population a décliné jusqu'à une extinction totale en quelques milliers d'années.

L'extinction américaine

Quand j'étais enfant, nous allions pique-niquer en famille à la Pointe du Buisson sur les bords du Saint-Laurent près de Montréal. Sur des grandes dalles rocheuses, où les eaux torrentueuses se précipitent en blanchissant, mes frères et moi avions trouvé des pointes de flèches provenant, disait-on, des Indiens. Ils venaient pêcher ici avant l'arrivée des Français.

Nous ignorions à cette époque ce que signifiait cet «avant». Les fouilles archéologiques ont récemment permis d'estimer à plus de dix mille ans les âges de ces flèches...

On évalue à un peu moins de vingt mille ans la date d'arrivée des humains en Amérique, à une époque où le détroit de Behring, alors glacé, permettait un passage à pied sec à partir de ce qui est aujourd'hui la Sibérie.

Sur le plan génétique, on trouve chez les Amérindiens des marqueurs sanguins que l'on retrouve aussi dans l'Altaï, au sud de la Sibérie. On ne sait pas s'il s'agit d'une seule migration ou de plusieurs qui se seraient succédé jusqu'à la fonte des glaces du détroit de Behring.

Ainsi, les événements historiques regroupés générale-ment sous le nom de «découvertes des Amériques par les Européens», aux xve et xvie siècles, seraient en fait les retrouvailles de groupes humains partis d'Afrique il y a cent mille ans, les uns vers l'est, les autres vers l'ouest. Et comme la Terre est ronde, ils se retrouvent il y a environ cinq cents ans sur le même continent : l'Amérique ! Sans surprises, les plus forts font un sort aux plus faibles.

À l'arrivée des migrations humaines en provenance de l'Asie, un nombre important d'animaux de grande taille : des mammouths, des mastodontes, des chameaux, des chevaux et de nombreux félins (panthères, lions, guépards) peuplaient l'Amérique. Dans le Wisconsin, on a trouvé des carcasses de mammouths équarries de main d'homme. D'autres vestiges – pointes de flèche, charniers de mégafaune – ont été mis à jour au Chili datant d'à peu près la même époque. On pense que la première colonisation s'est faite tout au long de la côte Pacifique et que la pénétration vers la côte Est n'a pu avoir lieu qu'après la fonte des glaces, les montagnes Rocheuses formant auparavant une barrière infranchissable. Il semble que le groupe le plus nombreux, nommé civilisation de Clovis, célèbre pour ses silex taillés, soit plus jeune d'un bon millier d'années.

La disparition de la mégafaune suit de relativement près les dates d'installation de campements. On note en premier l'âne du Yukon et l'ours géant disparus il y a environ treize mille ans et, quelques milliers d'années plus tard, la panthère, le tigre à dents de sabre et les chevaux. (Oui, il y avait des chevaux en Amérique avant l'arrivée des Européens !) Des mammouths laineux auraient survécu encore quelques milliers d'années (page 83). Cette période correspond à la fin de l'ère glaciaire.

Telle que mentionnée auparavant, la cause de ces disparitions a été le sujet de vives discussions. Ici, il est difficile d'invoquer seulement le froid puisque, à cette période, les glaciers fondaient, la calotte glaciaire remontait vers le pôle et les températures s'élevaient progressivement. De surcroît, ces extinctions sont manifestes du nord au sud de l'Amérique, y compris dans les régions équatoriales peu affectées par l'alternance des périodes glaciaires. Ici encore les paléontologues évoquent l'action simultanée des conditions climatiques et de la présence des humains pour rendre compte de ces extinctions.

2. La deuxième vague

La deuxième vague des extinctions de la faune sauvage commence avec les débuts de l'élevage et de l'agriculture, il y a quelques milliers d'années. De nombreux territoires restaient encore hors d'atteinte des chasseurs, en particulier ceux que les étendues maritimes rendaient inaccessibles. Par exemple, la Nouvelle-Zélande, Madagascar et les innombrables îles éparpillées sur les grands océans. Tous ces lieux hébergeaient une riche faune hautement diversifiée, évoluant isolément depuis des millions d'années.

On ne sait pas grand-chose sur les premières étapes de la navigation. Il reste très peu de traces d'embarcations anciennes. Rien de surprenant ici puisque, pour flotter, les bateaux doivent être de faible densité et que les premiers étaient vraisemblablement des troncs d'arbres creusés ou des radeaux qui résistent moins bien aux intempéries que les pierres des cavernes et des abris-sous-roche. Un bateau daté de huit mille ans a récemment été trouvé dans un amas de coquillages en Corée. Long de quatre mètres, il avait été creusé dans un tronc de pin. De telles embarcations équipées de voiles ont dû assurer la navigation fluviale et côtière pendant des milliers d'années sans permettre de s'aventurer très loin en mer.

Au cours de millénaires, la construction des navires et la navigation à distance des côtes se sont progressivement améliorées. Nous savons que, il y a plus de cinq mille ans déjà, les Phéniciens parcouraient l'ensemble de la Méditerranée. Il y a environ deux mille ans, des embarcations polynésiennes sillonnaient l'océan Pacifique. Il y a mille ans, les drakkars des Vikings affrontaient les mers polaires, atteignant l'Islande, le Groenland et la côte Est de l'Amérique. Dès lors, une nouvelle vague d'extinctions commence dans les îles désormais accessibles.

Sur les îles de Chypre, de Sicile et de Malte vivaient des éléphants nains et des cygnes géants. En Crète, des hippopotames pygmées, et aux Baléares, des chèvres des cavernes. Tous ont été éliminés rapidement.

Grâce en particulier aux constructeurs et aux navigateurs portugais, l'industrie navale atteint une grande efficacité à la fin du Moyen Âge. L'exploration des territoires insulaires prend des proportions nouvelles avec les grandes expéditions des puissances européennes (Vasco de Gama, Christophe Colomb, Magellan, Cook, etc.)

Pour des raisons variées, commerce ou piraterie, les carnages s'intensifient. La liste des espèces éliminées s'allonge inexorablement. (Celle de la page 112 en donne un aperçu certainement incomplet.)

N'oublions pas, bien entendu, même si cela n'est pas le thème essentiel de ces pages, de mentionner dans ce contexte l'éradication de quantité d'ethnies locales. Les tueries d'humains sont non seulement volontaires, lors des guerres d'occupation territoriale, mais aussi et surtout involontaires, dues à l'introduction, avec les nouveaux arrivants, de bactéries et de virus contre lesquels les organismes des populations indigènes n'étaient pas immunisés.

Darwin, lors de son voyage sur le *Beagle*, où il a pu développer la théorie de l'évolution, ne s'est pas contenté d'observer les oiseaux des îles Galápagos. Il a été profondément choqué par le comportement des Européens avec les autochtones. Il écrit dans son rapport de voyage :

> « Le continent américain a été presque entièrement dépeuplé de ses aborigènes par l'introduction des bienfaits de la civilisation. Il en est de même des îles du Pacifique et de l'Afrique du Sud. Dans une razzia organisée par les troupes espagnoles du général Rosas sur des Indiens d'Argentine, les femmes qui paraissaient avoir plus de vingt ans furent tuées de sang-froid. Quand je m'exclamai que cela était plutôt inhumain, le général répondit : "Pourquoi, qu'est-ce que cela peut faire ? Ils se reproduisent tellement !" »

Darwin ajoute :

> « Chacun ici est convaincu que c'est la guerre la plus juste parce que c'est une guerre contre des barbares. Qui pourrait croire que de telles atrocités pourraient être commises dans un pays chrétien civilisé ? »

La Nouvelle-Zélande

L'histoire des relations entre les humains et la faune en Nouvelle-Zélande est très instructive. Étant relativement récente (moins de mille ans) elle est particulièrement bien documentée.

L'île est restée longtemps protégée par son isolement dans l'océan Pacifique. Les premiers humains à l'accoster sont les Maori vers le XIIIᵉ siècle de notre ère. Ils viennent des îles polynésiennes. Pour naviguer sur la mer immense, ils utilisent très astucieusement leurs connaissances des vents, des vagues et des oiseaux migrateurs. Ils transportent avec eux des chiens et des rats qui auront une influence destructrice majeure. Ils cultivent la terre en brûlant de grandes surfaces forestières.

La faune de l'île ne contenait aucun mammifère (sauf des chauves-souris) mais un grand nombre d'oiseaux. Le plus spectaculaire est le moa, une sorte d'autruche géante. Atteignant jusqu'à 3,50 mètres de hauteur, c'était vraisemblablement le plus grand oiseau de la planète et une véritable providence pour les arrivants. On le mangeait, on en faisait des vêtements, des bijoux et leurs œufs énormes servaient de récipients.

En moins d'un siècle, les moas ont été éliminés. Pourtant, leur existence est toujours présente dans les chants et le vocabulaire des Maori. Pour cette raison, les Européens, arrivés dans l'île quelques siècles plus tard, sont restés longtemps convaincus qu'il s'agissait d'un animal mythique. Mais, quand en 1839, le paléontologue Richard Owen en observe des résidus culinaires dans les sites d'habitation maori, on découvre la vérité : ces oiseaux ont vraiment existé et furent victimes des humains. Un exemple typique d'extinction par la surexploitation d'une espèce animale peu préparée à rencontrer la nôtre.

La disparition du moa eut des effets en chaîne sur la faune locale. Peu après les moas, l'aigle de Haast disparut aussi. C'était un rapace géant dont l'envergure atteignait trois mètres et qui se nourrissait surtout de moas. Ses restes les plus anciens datent de cinq siècles. Il semble avoir été vénéré comme une divinité par les Maori.

Mais la vénération n'est pas toujours une bénédiction. Le huia, magnifique oiseau de la taille d'une pie, autre figure sacrée des Maori, en est encore un exemple. Son long bec blanc d'ivoire et son plumage noir métallique irisé de vert servaient de parures. Il était réservé aux chefs de guerre. Au XIXe siècle, inquiets de le voir disparaître, les chefs maori ont voulu en interdire la chasse. Mais l'oiseau était devenu un objet de collection très prisé des Européens. Un incident banal allait conduire à son éradication. En 1902, le duc d'York se voit offrir une plume de huia de la part d'un chef. Ce geste lance alors la mode de cette parure. Résultat : l'espèce disparaît. Cet événement illustre encore une fois la fragilité des espèces vivantes au voisinage des hommes.

Autre victime des Maori, l'adzebill, un grand oiseau semblable à une outarde. Son extinction coïncide avec l'arrivée des premiers Maori sur l'île. Son existence nous est révélée par les restes culinaires.

Les premiers Européens débarquent en Nouvelle-Zélande aux XVIIe et XVIIIe siècles. La campagne était alors sonorisée la nuit par un oiseau dont le chant ressemblait à un rire humain. On l'appelait la chouette rieuse. Elle a été bientôt exterminée par les belettes et les furets introduits pour lutter contre l'expansion des lapins. La dernière a été trouvée morte en 1914.

Dans cette section, j'ai développé le thème des extinctions dues aux Maori pour montrer que ces méfaits n'avaient pas attendu l'arrivée des Européens. On a souvent tendance à considérer les autochtones comme les authentiques défenseurs de la nature. Il est vrai que leur comportement est généralement plus en harmonie avec la nature que celui des émigrants européens. Mais les détériorations écologiques sont souvent liées à la survie d'une population immigrante sur un nouveau territoire. Parmi les actes les plus nocifs à la faune, on trouve l'activité agricole, les brûlis qu'elle entraîne et l'introduction (volontaire) des chiens et (involontaire) des rats.

Toujours la puissance démesurée de l'activité humaine, toujours grâce à son intelligence prodigieuse. Toujours le cadeau de Prométhée...

Madagascar

L'histoire des arrivées humaines à Madagascar est moins connue que celle de la Nouvelle-Zélande. Les documents sont rares. Les linguistes, en étudiant les différents langages de l'île, ont pu retracer les origines des populations. Elles ne venaient pas toutes, comme on l'a longtemps supposé, de la proche Afrique en traversant le canal du Mozambique. Certaines provenaient du Sud-Est asiatique, en particulier de l'Indonésie, pourtant à des milliers de kilomètres de Madagascar. Cette arrivée, qui remonte à environ cinq mille ans, fut rendue possible par la construction de grands navires habilement barrés.

À cette époque, l'île était habitée par une mégafaune très variée. On y trouvait des hippopotames pygmées, des tortues géantes, des oiseaux énormes appelés « oiseaux éléphants ». Presque tous ces grands animaux furent exterminés en peu de temps par les humains. En parallèle, la forêt a été rétrécie à plus de 90 % de sa taille primitive.

« Les forêts précèdent les hommes », écrivait Chateaubriand, « les déserts les suivent ».

Les îles du Pacifique

Qu'elles s'appellent Tahiti, Vanuatu, Hawaï, les îles Vierges ou les îles de la Sonde, les îles des océans tropicaux font fantasmer. On les imagine comme des paradis terrestres peuplés de végétations luxuriantes et d'exotiques oiseaux aux couleurs chatoyantes. Marius (de Pagnol), Charles Baudelaire, Arthur Rimbaud en ont rêvé. Paul Gauguin, et, plus récemment, Jacques Brel sont allés y vivre.

Hélas, il était déjà bien tard. Au moins mille ans trop tard pour y admirer la nature sauvage dans sa splendeur vierge. Des navigateurs polynésiens avaient déjà exploré pratiquement toutes les îles du Pacifique jusqu'à la lointaine île de Pâques. Ils y avaient débarqué avec leurs animaux domestiques et accompli les ravages habituels sur la faune et la flore.

Les îles Hawaï en sont un des plus tristes exemples. Pendant des millions d'années, ces îles furent des paradis de la biodiversité. Les climats contrastés permettaient une grande diversité de niches écologiques. Elles ont hébergé une immense variété d'oiseaux et de fleurs multicolores.

Des Polynésiens en provenance des îles Marquises ont débarqué, il y a moins de deux mille ans, coupant les forêts de basse altitude pour y installer leurs terres agricoles. On évalue à 70 % la proportion des espèces d'oiseaux natives d'Hawaï disparues peu de temps après leur arrivée.

Avec les émigrants européens et des flots de touristes à leur suite, les ravages se sont accrus à une vitesse accélérée, principalement à cause des cochons, des moutons et des chèvres qui arrachent jusqu'aux racines des plantes endémiques.

Les touristes qui visitent aujourd'hui les jardins d'Hawaï ne se doutent pas qu'une fraction majeure des plantes qui les enchantent (bougainvilliers roses, papayers, banians, jasmins blancs à l'odeur enivrante) et des oiseaux (cardinaux, canaris) a été importée récemment d'autres pays et, qu'en fait, ils se promènent sur les lieux de l'une des plus grandes catastrophes écologiques de la planète.

3. La troisième vague

La troisième vague d'extinction commence avec l'entrée en jeu des technologies de l'ère industrielle. L'aviation permet l'accès rapide à tous les territoires de la planète. Les dégâts sont directement reliés aux développements économiques.

La vague s'amplifie progressivement et prend des allures de tsunami depuis la fin de la Seconde Guerre mondiale. Désormais les causes des éliminations d'espèces sont multiples (pesticides, pollutions, fragmentation des habitats, espèces invasives, chasses et pêches excessives) mais toutes, de près ou de loin, sont attribuables à l'espèce humaine.

Je profite de ce chapitre pour répondre à une objection souvent formulée. Pourquoi s'inquiéter au sujet des disparitions d'espèces animales ou végétales ? Est-ce que de tout temps, il n'y a pas eu des espèces qui apparaissaient et des espèces qui disparaissaient ?

La réponse à cette question est positive bien sûr. Durant la plus grande partie de l'histoire de la vie terrestre, le nombre de disparitions a été à peu près compensé par le nombre d'apparitions. Mais à certaines périodes le nombre de disparitions s'accroît prodigieusement sans être compensé par les apparitions, ce qui réduit considérablement le nombre d'espèces vivantes. C'est ce qu'on appelle une période d'extinction.

On peut exprimer cette réalité en termes de « période moyenne entre chaque disparition d'espèce » telle que recensée par les paléontologues. En temps ordinaires, cette période est d'environ quatre cents ans. Aujourd'hui elle est de quatre heures… (Cette dernière estimation est certainement très imprécise vu les difficultés inhérentes à cette détermination sur des époques aussi éloignées. Mais au niveau des ordres de grandeur, on peut, je crois, l'accepter provisoirement.) Au rythme actuel des extinctions, on aura perdu la moitié des espèces d'ici la fin de ce siècle. Il y a certes de quoi s'inquiéter…

Ces chiffres illustrent bien ce que signifient et impliquent les mots « érosion de la biodiversité ». Nous reviendrons ultérieurement sur les implications de ce phénomène et sur les équilibres de la vie terrestre dans son ensemble.

Presque sous nos yeux

Quand je retourne dans notre maison de campagne au Québec, je n'entends plus les concerts des grenouilles qui m'empêchaient de dormir au petit matin. Les eaux transparentes du lac laissaient entrevoir des quantités de poissons aux reflets argentés ou dorés. Elles sont maintenant opaques et glauques. Les libellules bleues ne volent plus au-dessus des marécages et les tortues ne sommeillent plus sur les grandes feuilles de nénuphar des nappes aquatiques dormantes. Tous ces déclins sont arrivés lentement à l'échelle de nos existences personnelles – nous les constatons en faisant appel à nos souvenirs – mais en un clin d'œil à l'échelle de la vie terrestre ! Voici quelques exemples.

Les moineaux

Quoi de plus familier que le spectacle des petits moineaux voletant entre les tables des terrasses de café, attrapant les miettes de pain que les touristes leur envoient en cachette des serveurs. Pourtant leur nombre est en chute libre. En moins de deux décennies, dans la plupart des capitales européennes, les populations se sont réduites de plus de moitié. À Londres, le dépeuplement atteint plus de 90 % ! Une véritable hécatombe !

Pourtant bien adaptés à la présence humaine, ces piafs qui habitent encore nos contes et nos légendes pourraient bientôt ne survivre que dans notre imaginaire, laissant un grand vide sonore dans les villes de béton abandonnées aux bruits de la circulation !

Les causes de cette hécatombe ne sont pas bien identifiées. On a parlé de la pollution de l'air par les rejets des voitures et des pesticides employés dans les jardins. On a aussi mis en cause l'agriculture intensive dans les campagnes avoisinantes. (Ces oiseaux arrivent parfois de plusieurs centaines de kilomètres.)

On retrouve, encore une fois, le refrain monotone des dégâts provoqués par la puissance et l'étendue de l'activité humaine. Mais là, elle s'exerce pratiquement sous nos yeux...

Les vers de terre

De même en est-il des vers de terre dont la population, victime des pesticides, n'est plus qu'une fraction infime de ce qu'elle était il y a à peine un demi-siècle. Leur effondrement n'a jamais fait la une des journaux. Pourtant, cette mauvaise nouvelle a une importance immensément plus dramatique pour nous que la disparition du rhinocéros blanc. Les vers de terre sont un des plus précieux alliés de notre agriculture. Sous nos pieds, ils labourent la terre, permettant l'arrivée de l'oxygène pour la respiration des micro-organismes qui assurent la fertilité du terreau et participent à l'enrichissement du sol. Ils transforment les débris végétaux en humus. Par leur richesse en protéines, ils sont à la base de nombreuses chaînes alimentaires : oiseaux, reptiles, batraciens, renards et ours.

Les abeilles

La question de l'appauvrissement des ruches un peu partout dans le monde a été beaucoup étudiée et discutée. Plusieurs causes ont été envisagées, en particulier la perte des fleurs sauvages, victimes des herbicides déversés par l'agriculture intensive. Sans ces fleurs et les abeilles qui les butinent, le transport des semences diminue, tout comme la pollinisation. Or, les fruits nés de la pollinisation constituent une fraction importante de la nourriture des humains. Que mangerons-nous dans quelques décennies si l'on n'arrive pas à assurer la survivance des abeilles ?

Les papillons

Ainsi en est-il des papillons. Ils ne se contentent pas de nous réjouir l'œil, ils participent également à la pollinisation. Il y a trente ans, j'ai planté dans notre maison de Malicorne un buddleia appelé aussi « arbre à papillons ». Les jours ensoleillés de juillet, je pouvais dénombrer plus de dix variétés butinant ses longues grappes florales. Aujourd'hui, j'en compte rarement plus de deux.

Le krill

La fonte des glaces polaires se poursuit à un rythme beaucoup plus rapide que prévu il y a quelques années à peine. Le pôle Nord pourrait être libre de glace en été dans une vingtaine d'années, et la calotte glaciaire antarctique, dans quelques siècles. On s'inquiète beaucoup du sort des ours polaires et des manchots de l'hémisphère Sud. Il paraît peu probable qu'ils aient le temps de s'adapter à ces changements. On parle moins d'une des principales causes de ces menaces : la diminution rapide des populations de krill (petites crevettes) dans les eaux de ces régions, une autre conséquence des changements climatiques. Ces petits crustacés sont à la base de la chaîne alimentaire de la faune polaire (poissons, phoques, cétacés, etc.). Selon une estimation, la population de krill en Antarctique aurait baissé de 80 % depuis les années 1970. Le krill souffrirait en particulier de la fonte des glaces, support des algues nourricières pour les larves de krill.

Le puma

Le couguar de l'Est américain, appelé aussi « puma », était depuis 1973 sur la liste des espèces menacées. Malgré tous les soins apportés à le protéger par le US Fish and Wildlife Service qui en interdisait formellement la chasse, il est depuis 2010 considéré comme officiellement éteint.

Alors que le territoire de cette espèce s'étendait à tout le Sud-Ouest de la Floride, il s'est réduit progressivement de plus de 95 % à cause de l'occupation humaine. On sait maintenant qu'une espèce animale n'arrive pas à se maintenir quand elle n'a pas accès aux espaces nécessaires pour s'épanouir. Nul besoin, pour l'exterminer, de la présence des chasseurs. Les populations diminuent jusqu'à un seuil critique qui les mène inexorablement à l'extinction. C'est là une autre des causes majeures de l'effet négatif de la présence humaine sur la biodiversité.

Les pigeons migrateurs

Au début du XIXe siècle, les populations de pigeons migrateurs américains étaient gigantesques. On parle de plusieurs milliards d'individus, autant que d'humains sur Terre aujourd'hui...

Chaque année, ils effectuaient leur voyage de migration du Canada jusqu'au golfe du Mexique. Les vols s'étiraient sur des centaines de kilomètres. Ils étaient si denses que le ciel, dit-on, s'obscurcissait à leur passage. Ils nichaient sur des chênes et des hêtres qui abritaient jusqu'à cent nids par arbre. Les Indiens posaient leurs tentes à proximité et se nourrissaient de cette chair délicieuse, manne si abondante qu'elle semblait inépuisable...

Avec l'arrivée des Européens, la chasse au pigeon migrateur prit une autre dimension. On coupait les arbres, et l'on allait jusqu'à incendier les forêts pour déloger les volatiles et les abattre en masse. On dit même qu'on utilisait le canon pour tirer dans les vols ! Des concours de chasse étaient organisés : à moins de trente mille carcasses alignées, impossible de prétendre figurer parmi les lauréats.

La constatation de la diminution des effectifs, vers la seconde moitié du XIXe siècle, attisa encore la frénésie des chasseurs, qui utilisèrent des moyens toujours plus efficaces pour remplir leurs carniers comme l'emploi du télégraphe pour signaler les lieux de passage des vols migratoires.

Plus tard enfin, trop tard, la chasse fut interdite, et malgré de nombreuses tentatives de préservation, les populations continuèrent à décliner. Le dernier oiseau, une femelle nommée Martha, mourut au jardin zoologique de Cincinnati en 1914. En ce lieu, une plaque commémore cette navrante histoire.

Les grands pingouins

Plus une espèce se raréfie, plus elle génère de braconnages lucratifs menant inexorablement à son extinction. C'est là une réalité inquiétante pour les projets de sauvetage des espèces en danger.

La découverte de la grotte Cosquer, dans les calanques méditerranéennes, nous a rappelé une sombre histoire du comportement humain. Il y a près de vingt mille ans, nos lointains ancêtres ont peint sur les murs de cette grotte des fresques de la faune de l'époque. On y admire en particulier le dessin d'un oiseau, appelé grand pingouin, espèce totalement disparue aujourd'hui.

Ces oiseaux étaient encore largement abondants dans l'hémisphère Nord jusqu'au XVIIIᵉ siècle. On les rassemblait dans de grands enclos, où on les massacrait à coups de matraque. Leurs plumes étaient utilisées pour faire des coussins. À la nouvelle du déclin rapide de leur population, ils devinrent un objet de convoitise. Livrés au trafic des collectionneurs, les enchères des grands pingouins grimpèrent vite. Le dernier couple fut capturé en 1834, tué, et vendu à prix d'or en Islande. Il ne reste que de rares spécimens naturalisés dans des musées.

Plantes menacées

On a beaucoup parlé de l'extinction de la faune sous la pression de la présence humaine mais peu de la flore (fleurs et arbres). Les effets sont évidemment moins visibles quand il s'agit de minuscules plantes sauvages que lorsqu'il est question de mammifères emblématiques comme le tigre du Bengale. Mais nous savons que toute la vie dépend de la photosynthèse par laquelle l'énergie lumineuse du Soleil est capturée et transformée en énergie utilisable pour les phénomènes vitaux.

La destruction des espaces arborés entraîne la disparition d'une foule d'organismes vivants, insectes, oiseaux et mammifères qui en ont fait leurs habitats. L'exemple le plus spectaculaire aujourd'hui est la coupe à blanc des forêts primaires d'Indonésie pour y planter des palmiers. Face à l'épuisement prévisible du pétrole, l'huile de palme devient une denrée très recherchée pour le transport routier et autres applications commerciales.

Les peuples indigènes du Sarawak, en Malaisie, ont assisté à la destruction de la plus grande partie de leurs forêts par des compagnies d'exploitation forestière accréditées par leur gouvernement. Les compagnies d'huile de palme sont en train de couvrir le territoire indigène de plantations.

La destruction des habitats naturels est souvent la cause de la disparition des plantes. Au Canada, par exemple, une espèce de conifère de petite taille, le cypripède blanc ne se retrouve plus que dans de rares endroits très éloignés de la présence humaine. Il ne reste plus qu'une bien faible proportion des forêts d'arbres feuillus qui couvraient auparavant des régions importantes de ce pays. Ces forêts abritaient une grande variété de plantes qui sont maintenant rares et en danger de disparition. Plusieurs espèces d'arbres sont sur cette liste : des variétés de magnoliers, de caryers, de frênes et de chênes et aussi plusieurs plantes herbacées, arbustes et plantes grimpantes, en particulier le magnifique bignone radicant, le gainier rouge disparu à l'état sauvage et l'hydraste du Canada, une plante importante pour ses propriétés médicinales.

On a répertorié près de quatre cent mille variétés de plantes dans le monde. Dans celles-ci, plus de 20 % sont considérées comme menacées d'extinction et 4 % en danger critique. Par ailleurs, on estime que 20 % à 30 % des plantes sur Terre n'ont pas encore été répertoriées : ces inconnues pourraient disparaître avant même d'avoir été étudiées.

Dernières nouvelles de la Terre

« Rien n'est plus merveilleux que l'homme », répètent les chœurs de Sophocle.

« Nul n'est à l'abri de ses méfaits et ni l'oiseau ni la bête ne peuvent lui échapper », poursuit la voix charmeuse de Shéhérazade.

Où en sont aujourd'hui les résultats de la moins-belle-histoire ? La liste de nos dégâts est assez effarante. Mais il ne faut pas craindre de la regarder en face. Faisons un bilan réaliste de la situation.

Nous avons augmenté la quantité de gaz carbonique dans l'atmosphère de 30 % et nous allons vraisemblablement la doubler. Résultat, la température moyenne de la planète a augmenté de presque un degré, elle va en gagner au moins deux de plus et vraisemblablement trois. Nous avons acidifié l'océan de 30 %. Nous avons diminué l'épaisseur de la couche d'ozone qui s'étend sur la Terre entière et absorbe une fraction importante des rayons ultraviolets solaires. Nous avons réduit l'épaisseur de glace de la calotte polaire Nord et les glaciers fondent à grande vitesse. En un siècle, nous avons brûlé plus de la moitié du pétrole que les phénomènes géobiologiques avaient mis plus de cent millions d'années à élaborer. Nous avons abattu plus de la moitié de la forêt mondiale. Nous vidons les océans de leurs poissons.

111

Tel est l'impact de l'intelligence humaine et de ses puissantes technologies sur notre planète. Telles sont les manifestations concrètes de la moins-belle-histoire.

Liste d'espèces d'oiseaux disparues

1700-1800

- Bihoreau de Maurice (Mascareignes), 1700
- Solitaire de Rodrigues, 1730
- Chevêche de Rodrigues (île Rodrigues), 1730
- Dodo de l'île Maurice (le dernier est mort en 1740, seulement 150 ans après les derniers arrivants)
- Ibis de la Réunion (Mascareignes), 1750
- Perroquet de Benson (île Maurice), 1760
- Bihoreau de Rodrigues (Mascareignes), 1761
- Perroquet de Rodrigues (île Rodrigues), 1763
- Mascarin de la Réunion (île de la Réunion), 1770
- Perruche de Raiatea (Polynésie française), 1773
- Chevalier à ailes blanches (Tahiti), 1773

1800-1900

- Canard de l'île d'Amsterdam, 1800
- Emeu de Baudin (Australie), 1827
- Perruche de Tahiti (Tahiti), 1844
- Grand Pingouin (le dernier couple a été tué le 3 juillet 1844)
- Monarque de Maupiti (îles de la Société), 1850

- Emeu noir (Australie), 1850
- Océanite de Nouvelle-Zélande, 1850
- Nicobar ponctué, 1851
- Petit Duc de Commerson (île Maurice), 1859
- Cormoran de Pallas (Kamtchatka), 1860
- Caille de Nouvelle-Zélande, 1875
- Perruche de Newton (île Rodrigues), 1875
- Eider du Labrador (le dernier a été vu à Elmira, New York, en 1878)
- Perruche des Seychelles (Seychelles), 1883
- Ara d'Hispaniola (Galápagos), 1885

Depuis 1900

- Émeraude de Brace (Bahamas), 1900
- Émeraude de Gould (Jamaïque et Bahamas), 1900
- Blongios de Nouvelle-Zélande, 1900
- Harle Austral (îles Auckland), 1902
- Quiscale de Mexico (Mexique), 1910
- Pigeon migrateur (victime des chasses de compétition, le dernier est mort au zoo de Cincinnati le 1er septembre 1914)
- Perruche de Caroline (chassée pour ses plumes, morte au zoo de Cincinnati en 1918)
- Perruche de Paradis (Australie), 1927
- Ara glauque (Amérique du Sud), première moitié du XXe siècle
- Ninoxe rieuse (Nouvelle-Zélande), 1960

- Tadorne de Corée, 1964
- Grèbe des Andes (Colombie), 1977
- Pic à bec ivoire (Cuba), 1987
- Fuligule de Madagascar, 1992
- Grèbe de l'Atitlan (Guatemala), 1994
- Po-o-uli masqué (mort en captivité le 28 novembre 2004)

Scotiabank®

Transaction Record

Date	Time	Mach. No.

JAN 15-14   12:25   A I04
Location

BARRHAVEN CENTRE 4

NEPEAN

Card
Code,   6058******803
         Seq. No. Acct.Type†   Amount

WD   3031 CHEQ $200.00
BALANCE IS: $83.24

† See reverse side. All transactions are subject to proof and verification.

TROISIÈME PARTIE

LE RÉVEIL VERT

CHAPITRE 5

Naissance du Réveil Vert

L'idée que la nature est fragile et qu'il faut la protéger est peu présente dans la littérature antique. Il faut surtout apprendre à se protéger des « bêtes sauvages ». Pourtant, plusieurs auteurs, Pythagore, Léonard de Vinci, Bouddha, Montaigne, Kant, Seattle et bien d'autres se sont élevés contre les mauvais traitements infligés aux animaux par les humains. Mais il s'agissait d'initiatives personnelles avec des pouvoirs d'action limités et généralement sans suites. De même, des sociétés humaines préoccupées par la détérioration de l'environnement existent depuis longtemps. Pourtant elles se sont retrouvées bien faibles face à la puissance des forces responsables des dégâts.

Des traditions religieuses (orientales surtout) ont mis l'accent sur la vénération de la vie sous toutes ses formes. Au XIXᵉ siècle, aux États-Unis en particulier, grâce à Thoreau, Emerson, Aldo Leopold ainsi qu'à la poésie vibrante de Walt Whitman, cette mouvance est très forte. Mais rien n'y fait. Le massacre des vivants se poursuit et s'accélère. Le saccage de la nature et l'étendue des dégâts sont devenus si désastreux que certains observateurs lucides sont désespérés. Ils énoncent des constats accablants. Lisons ce qu'en dit Lamarck en 1830 (!) :

> « L'homme, par son égoïsme trop peu clairvoyant pour ses propres intérêts, par son penchant à jouir de tout ce qui est à sa disposition, en un mot, par son insouciance pour l'avenir et pour ses semblables, semble travailler à l'anéantissement de ses moyens de conservation et à la destruction même de sa propre espèce. En détruisant partout les grands végétaux qui protégeaient le sol, pour des objets qui satisfont son avidité du moment, il amène rapidement à la stérilité ce sol qu'il habite, donne lieu au tarissement des sources, en écarte les animaux qui y trouvaient leur subsistance, et fait que de grandes parties du globe, autrefois très fertiles et très peuplées à tous égards, sont maintenant nues, stériles, inhabitables et désertes. Négligeant toujours les conseils de l'expérience pour s'adonner à ses passions, il est perpétuellement en guerre avec ses semblables, et les détruit de toutes parts et sous tous prétextes : en sorte qu'on voit des populations, autrefois considérables, s'appauvrir de plus en plus. On dirait que l'homme est destiné à s'exterminer lui-même après avoir rendu le globe inhabitable. »

La bonne nouvelle, c'est le « Réveil Vert ». Il date de la fin du XIXᵉ siècle et prend progressivement de l'ampleur, d'abord aux USA et maintenant un peu partout dans le monde. Des associations de·personnes se mobilisent pour protéger les vivants. Des symposiums réunissent les défenseurs de l'environnement et incitent les gouvernements à formuler des législations appropriées. C'est le début d'un changement radical du comportement humain. C'est une étape cruciale dans l'élaboration du « ce qui sauve ».

Un des personnages les plus importants de cette histoire s'appelle John Muir. Né en Écosse et émigré aux États-Unis, c'est un amoureux de la nature. Pour s'opposer au saccage dans la Sierra Nevada, en Californie, il fonde le Sierra Club, qui occupe encore aujourd'hui une place de premier plan dans les organisations américaines de conservation de la nature. En 1872, sous son instigation, le premier parc national de protection de la nature est créé à Yellowstone, en Californie. En 1890, un second parc apparaît à Yosemite. On considère Muir comme un des pères du mouvement international contemporain. Son nom a été attribué à un autre parc, Muir Wood, situé aux abords de San Francisco, facilement accessible aux visiteurs désireux de faire une promenade parmi les séquoias géants. Un historique plus détaillé des mouvements de protection de la nature est présenté en encadré.

1. Les pollutions industrielles

Au XXᵉ siècle, le Réveil Vert s'étend à la lutte contre les différentes pollutions que provoquent les activités industrielles sur la planète. Deux événements ont eu une influence importante dans ce nouveau chapitre du Réveil Vert et méritent ici d'être relatés. Ils portent sur l'usage du DDT, une substance chimique largement utilisée comme pesticide, et sur les déchets radioactifs, résidus de l'utilisation des réacteurs nucléaires.

Vers 1960, Rachel Carson, zoologiste et biologiste américaine réputée, alerte le public sur les problèmes liés aux pesticides, arguant que l'utilisation du DDT a des conséquences dévastatrices sur les populations d'oiseaux. Elle s'oppose au fait que ces informations soient cachées par les grandes compagnies de chimie industrielle. Son livre, *Silent Spring* (*Printemps silencieux*) est un grand succès. Les réactions très vives des lecteurs amènent le président Kennedy à nommer une commission d'enquête qui confirme les assertions de Rachel Carson et entraîne l'interdiction du DDT aux États-Unis en 1972.

En octobre 1960, un volume important de déchets radioactifs doit être immergé en mer Méditerranée par le Commissariat à l'énergie atomique de France. Le Commandant Cousteau organise une campagne de presse qui, en moins de deux semaines, soulève la population. Le train de déchets est arrêté par des sit-in de femmes, d'hommes et d'enfants qui l'obligent à retourner à son point de départ. Le risque est écarté.

Cette préoccupation se poursuit aujourd'hui et s'adresse à tous les projets industriels qui risquent d'abîmer les équilibres des différents milieux naturels. Les succès sont parfois réels mais souvent très mitigés. Il importe de rester vigilant.

2. Pourquoi sauvegarder la biodiversité?

Parmi les grands apports de la biologie à la réflexion sur la crise écologique, il y a la découverte des liens profonds qui, au cours de l'évolution, se sont tissés entre tous les vivants. Au-delà des individus, des espèces et des milieux, il y a les relations entre les espèces, qui assurent la pérennité des écosystèmes et le bon déroulement de leurs activités pour le maintien des conditions permettant la vie.

Les études récentes ont montré à quel point les dommages que l'activité humaine impose à la nature ne se contentent pas d'éliminer d'innombrables individus mais affaiblissent le fonctionnement des écosystèmes tout entier. Ils nuisent considérablement à la préservation des bienfaits que nous devons à la diversité des espèces, tels la pollinisation des fleurs dont dépend plus de la moitié des récoltes nourricières, le stockage du gaz carbonique par la végétation, la préservation de la pureté de l'eau et bien d'autres encore. L'érosion de la biodiversité, conséquence de l'activité humaine, affaiblit tout l'édifice de la vie sur Terre par des « effets domino » qui entraînent des dégâts en chaîne dont les humains sont également victimes.

En peu de mots : protéger la biodiversité, c'est veiller au bon fonctionnement des processus naturels qui perpétuent la vie. Tel est l'objectif que nous cherchons à atteindre dans l'association Humanité et Biodiversité que je préside en ce moment.

3. Sauvés in extremis

Une des premières démarches des artisans du Réveil Vert fut de tout mettre en œuvre pour stopper le saccage de la faune et favoriser le retour des populations menacées. Dans bien des cas il était déjà trop tard et l'élimination se poursuivit jusqu'à l'extermination (par exemple le grand puma de Floride et le dauphin du Yangtsé en Chine). Dans d'autres cas cependant, malgré de grandes difficultés, le projet fut un succès. Chaque espèce récupérée à la dernière minute témoigne de la volonté et de la détermination qui anime les protagonistes du Réveil Vert. En voici quelques exemples.

Les baleines bleues

La chasse à la baleine remonte à plusieurs milliers d'années. Des gravures rupestres retrouvées en Corée du Sud, en bordure de la mer du Japon, montrent des harpons et des baleines. Des documents historiques confirment l'existence de la chasse à la baleine franche par les Basques dès le Xe ou XIe siècle, dans le Golfe de Gascogne, héritage des Vikings qui la pratiquaient déjà.

Les baleines étaient abondantes dans presque tous les océans. Mais tout au long du XIXe siècle, la chasse a pris des proportions considérables, en particulier dans l'Atlantique. Herman Melville nous en fait des descriptions colorées dans l'épopée de Moby Dick.

Vers la fin de la première moitié du XXe siècle, les prises déclinèrent considérablement. Certaines espèces étant au bord de l'extinction, la Convention internationale pour la réglementation de la chasse à la baleine a décidé la création d'une Commission baleinière (CBI) dont la première réunion eut lieu en 1949 et dont les décisions sont garanties par l'ONU. Le moratoire mis en place pour supprimer la chasse commerciale fut efficace. Il a certainement été l'une des avancées les plus importantes de la préservation de la nature au XXe siècle. La baleine à bosse, par exemple, dont le nombre avait énormément baissé, voit ses effectifs croître.

Si la situation s'arrange pour cette espèce, ce n'est pas le cas de la baleine bleue de l'Antarctique. Malgré sa protection vers 1960, elle reste encore inscrite sur la liste des espèces en « danger critique d'extinction », la plus haute catégorie de menace.

Quelques nations, surtout le Japon et la Norvège, contestent encore les décisions d'interdiction et continuent épisodiquement la traque, sous prétexte de « chasse scientifique ».

Le retour des bisons

J'ai eu l'occasion, pendant mes études, de traverser le Canada en train. Dans les prairies de l'Ouest j'ai vu, pendant des heures, défiler les troupeaux de bisons aux fourrures brunes et barbiches grises. À perte de vue…

Avant l'arrivée des Européens en Amérique, leurs populations comptaient de 50 à 70 millions d'individus sur les plaines herbeuses étalées du Mexique au Canada. Ces animaux faisaient partie intégrante de la vie matérielle et spirituelle des tribus amérindiennes et constituaient leur principale ressource en viande et en cuir. Comme les moutons en Orient, ils étaient sacrifiés lors de cérémonies religieuses. Le bison était synonyme d'abondance, de prospérité et de spiritualité.

Quand, en quête de nouveaux territoires, les Européens ont voulu en chasser les autochtones, ils organisèrent le massacre des troupeaux. À bord de trains aménagés, des rangées d'artilleurs les abattaient systématiquement, et sur des kilomètres le long des voies ferrées, des monceaux de cadavres pourrissaient au soleil. La disparition des troupeaux a eu pour effet de déstabiliser la culture des Amérindiens. Malgré les transes et les incantations des shamans, les bisons ne revinrent pas. Après les bisons, ce fut au tour des Amérindiens d'être massacrés.

Vers la fin du XIXe siècle, les bisons se trouvèrent tout près de l'extermination. On n'en comptait plus que quelques centaines lorsqu'en 1894, le gouvernement américain, alerté par les écologistes, promulgua une loi qui en interdit la chasse. Le retour de la population fut rapide. On l'estime maintenant à plus de trois cent cinquante mille individus. Un bel exemple d'une évolution positive du comportement humain et de la nouvelle prise de conscience à grande échelle de l'importance de la protection de la nature.

On ne peut pas vivre sans les loups

Les nuits de pleine lune, sur un grand lac sauvage du Québec, mes amis et moi allions en canoë entendre les loups. L'œil collé à nos jumelles, nous dirigions nos regards vers les rivages où ils venaient boire, pour admirer le profil de leurs têtes dressées vers le ciel. Leurs longs hurlements nous tenaient en haleine.

Dans le rapport imaginaire qui s'est forgé entre les humains et les animaux, le loup occupe depuis toujours une place particulière. Sa représentation a pénétré les strates les plus profondes de notre psychisme. À bien des égards, nos sentiments envers lui sont ambivalents. Peur et effroi, mais aussi respect et admiration. Le loup est le traître qui hante la forêt où le Petit Chaperon Rouge porte du beurre à sa mère-grand. Il est la terreur du Petit Poucet égaré avec ses frères. Il est la bête du Gévaudan poursuivie par les battues paysannes et royales. Il terrorise les moujiks de Tolstoï sur les routes enneigées de Russie. Mais les soldats romains, tout comme les guerriers iroquois, en ont fait leur modèle…

« On ne peut pas vivre avec les loups », répètent depuis longtemps les humains qui sont confrontés à leur présence. En 813, Charlemagne crée la Compagnie de la Louveterie pour son éradication. Tous les moyens seront bons pour les tuer : pièges, poisons, massacre des petits dans les tanières, fusils. Des primes de plus en plus élevées sont offertes pour ses oreilles.

Dans l'Ouest des États-Unis, les loups ont été éliminés au début du XXe siècle. Le problème de la prolifération des coyotes s'est alors rapidement posé. On a tenté d'y remédier en mettant au point des programmes de quotas. Résultat, on a assisté à une multiplication des renards, leur proie favorite, qui devinrent rapidement une menace sérieuse pour les oiseaux aquatiques. Fort de ces expériences, on a réintroduit il y a quelques années, dans le parc de Yellowstone en Californie, une vingtaine de loups provenant du Canada. Les effets de cette réintroduction sur la faune et la flore ont été hautement bénéfiques. On a d'abord constaté une diminution du nombre de wapitis, un grand cerf dont les populations excessives causaient de graves dommages à la nature. De nombreuses plantes, dont ces animaux broutaient à outrance les jeunes pousses, sont réapparues, en particulier les peupliers dans les vallées. Les fleurs de montagne foisonnent à nouveau sur les coteaux où elles attirent de nombreux papillons qui les butinent. Les chants de plusieurs espèces d'oiseaux depuis longtemps inaudibles se font à nouveau entendre. Et les castors, qui avaient déserté le parc – vraisemblablement à cause de l'absence de leurs plantes favorites –, construisent à nouveau des barrages grâce auxquels de nombreux organismes aquatiques ont ressuscité.

Ce n'est pas un miracle. Cette réintroduction du loup constitue en quelque sorte une expérimentation grandeur nature. Elle illustre l'importance de la notion d'échelle de prédation. Dans une nature en équilibre, les espèces animales sont à la fois consommatrices et proies. Le lapin de garenne qui tond le pré peut devenir, un instant plus tard, la victime du renard. L'épervier capture un merle qui mangeait des vers de terre nourris de feuilles mortes. Au cours des millions d'années de l'évolution, une hiérarchie s'est élaborée, dans laquelle chaque espèce forme un maillon de la chaîne alimentaire. Au sommet trônent les grands prédateurs : rapaces, loups, et grands félins...

L'élimination de ces prédateurs par l'activité humaine – chasse ou occupation des territoires – perturbe gravement les interactions. Prenant conscience de son importance pour la santé de la nature dont nous dépendons, il importe d'intervenir. À l'exemple de l'expérience de Yellowstone, cette responsabilité nous revient. Aucune autre espèce que la nôtre ne pourrait penser cette réhabilitation et la mener à bien.

Des populations de loups existaient encore au XIXe siècle dans le nord de l'Italie. À la fin du XXe siècle, il réapparaît en France, dans les Alpes. On le retrouve dans le Jura, les Vosges et jusque dans les Pyrénées. Autoroutes, voies ferrées ne sont pas pour lui des obstacles infranchissables.

Les interactions avec les humains restent difficiles. Elles donnent lieu à des débats animés. Des subventions sont prévues pour les pertes de bétails. Il importe de ne pas occulter les problèmes que de tels retours, même naturels, entraînent. Nous sympathisons à la détresse du berger qui découvre au matin ses brebis égorgées par les loups. Il faut retrouver ou inventer les moyens de protection des troupeaux dans les alpages : grillages et chiens, par exemple. Il nous faut surtout redécouvrir l'importance et la fragilité du monde rural que nous avons largement négligé et qui pourtant nous est indispensable.

Mais aujourd'hui, nous prenons conscience de l'importance du loup dans l'équilibre de la Nature. Nous avons compris qu'« on ne peut pas vivre sans les loups », en tout cas qu'il faut trouver le moyen de faire la paix.

La gestion des populations de vigogne

La vigogne est un mammifère de la famille des chameaux. Récemment, elle était encore largement répandue dans les régions australes de l'Amérique. Sa fourrure, très recherchée, en a fait la proie des braconniers et des contrebandiers. Elle l'a amenée à deux doigts de l'extinction...

Cette menace a eu un effet bénéfique car les paysans eux-mêmes ont sonné l'alarme. Pour éviter la catastrophe, une législation péruvienne a octroyé aux communautés rurales le contrôle sur le négoce et le soin des troupeaux dans leurs zones. Cette démarche fut positive. Les populations vigognes ont remonté rapidement. Elles seraient près de deux cent mille aujourd'hui au Pérou. Dans l'échelle des espèces menacées de l'UICN (Union internationale pour la conservation de la nature), la vigogne est passée du statut de « vulnérable » à celui de « préoccupation mineure ». Bel exemple qui montre combien il est important d'impliquer les habitants d'un lieu dans la gestion d'une ressource naturelle.

Un papillon sauvé par les recherches scientifiques

L'azuré du serpolet est un petit papillon bleu qui a disparu de Grande-Bretagne vers 1980. Les biologistes tentèrent sans succès de le réintroduire en l'important à plusieurs reprises. Des recherches scientifiques poussées montrèrent alors les causes des échecs. La reproduction de ce papillon exige la présence simultanée de deux éléments indispensables : du serpolet, sorte de thym sauvage où pondre les œufs, ainsi que des fourmis d'une espèce particulière qui, croyant avoir affaire à de la nourriture, adoptent les larves dans la fourmilière. Des transformations agricoles avaient affecté les sols et ni les papillons ni leurs larves ne trouvaient les conditions favorables à la ponte et à la métamorphose souterraine. Forts de ces connaissances, les biologistes ont pourtant réussi à restaurer un habitat favorable à la fois au papillon et à la fourmi. Aujourd'hui, le papillon est revenu en Angleterre.

Cet événement est un bel exemple des phénomènes de symbiose entre les espèces et de leurs interactions avec le milieu. Il souligne la nécessité de recherches scientifiques poussées pour comprendre la nature des problèmes et faire en sorte que des espèces recolonisent les lieux désertés.

Le condor de Californie

Le condor de Californie est le plus grand oiseau d'Amérique du Nord. Chassé sur une grande échelle il y a quelques décennies encore, sa population déclinait dangereusement. Nombreux sont ceux qui le croyaient condamné à l'extinction. Réduite à une population de 22 spécimens seulement en 1987, un vaste programme de réintroduction fut entrepris. Il impliquait plusieurs centaines de lâchers de condors élevés en captivité et munis d'un dispositif électronique de suivi. La campagne a été un succès : la population est remontée aujourd'hui (2013) à plusieurs centaines d'oiseaux.

L'histoire du vautour fauve en France est assez semblable. Après avoir pratiquement disparu au début du XXe siècle, il revient progressivement, surtout en Espagne. On le retrouve aussi jusque dans les Alpes.

4. Pilotage de la biodiversité

Pourtant, il ne suffit pas de chercher à sauvegarder ou à rétablir des populations en danger. La nature est en perpétuelle évolution. Elle ne reviendra jamais à l'état dans lequel elle se trouvait, par exemple, au début de l'ère industrielle, il y a deux cents ans.

Notre tâche maintenant est de préserver le potentiel encore existant et de favoriser ses possibilités d'évolution. Mission impérative qui de plus se heurte aujourd'hui à des problèmes inédits et quelquefois très délicats : arracher des plantes invasives ou diminuer des populations surabondantes qui perturbent les écosystèmes. Au mieux, nous pouvons tenter de piloter les changements afin que le milieu reste productif. Il s'agit de créer les conditions optimales pour permettre à l'évolution biologique de poursuivre ses innovations.

La trame verte et bleue

De même, pour protéger la biodiversité, il ne suffit pas de créer des zones spéciales (parcs, réserves) sur des territoires définis ; il faut aussi que les plantes et les animaux puissent se mouvoir au travers des continents. Quand, à cause de variations climatiques ou pour d'autres raisons, des espèces se retrouvent en conditions impropres à leur développement, il importe qu'elles puissent migrer vers des zones plus adaptées. Il faut créer l'équivalent de réseaux routiers. C'est ce qu'on appelle la trame verte (pour les espèces terrestres) et bleue (pour les espèces aquatiques). La mise en place de ces réseaux doit être intégrée dans les plans d'occupation des sols, en particulier dans les projets urbanistiques et la construction des infrastructures (routes et voies ferrées).

Déjà, des tunnels et des viaducs ont été construits pour les migrations animales. Mais il reste beaucoup à faire…

Historique des mouvements de protection de la nature

L'influence du mouvement californien, le Sierra Club, créé par John Muir à la fin du XIXᵉ siècle s'est fait progressivement sentir à travers le monde.

Les premiers parcs naturels en Europe naissent au début du XXᵉ siècle. En 1902, neuf États (Allemagne, Autriche-Hongrie, Espagne, Grèce, Suisse, Luxembourg, Portugal, Suède, Principauté de Monaco) signent la convention de Paris relative à la « protection des oiseaux utiles pour l'agriculture ». Bien sûr, il s'agit d'une motivation utilitaire et financière bien plus que d'une manifestation de protection de la nature.

Ce n'est que plusieurs décennies plus tard qu'apparaît la notion d'« espèce menacée d'extinction ». Elle devient officielle à Londres, en 1933, pour le premier congrès international de Protection de la nature où est valorisée la notion de « conservation de la faune et de la flore à l'état naturel ». Il faut attendre 1948, à la suite d'une conférence internationale tenue à Fontainebleau, pour que naisse, en 1956, l'Union internationale pour la conservation de la nature (UICN) dont le siège est à Gland, en Suisse. En 1960, sir Julian Huxley crée le

WWF (World Wildlife Fund) pour la protection de la nature en général et de certaines espèces emblématiques en particulier et prend le panda pour logo. La fédération internationale des Amis de la Terre et Greenpeace sont nés au début de la décennie 70.

En France, le mouvement regroupant les associations de protection de la nature et de l'environnement date de la deuxième partie du XXe siècle. C'est à François Hüe que l'on doit, en 1968, la création de la Fédération française des sociétés de protection de la nature, devenue France nature environnement en 1990.

Depuis la conférence de Stockholm de 1972, la préservation de la biodiversité a pris le pas. L'importance de la diversité et du bon fonctionnement des écosystèmes devient de plus en plus évidente. La protection de la nature n'est plus seulement un noble mouvement, c'est aussi une nécessité pour que la planète reste habitable par les humains. En 1973, la convention sur le Commerce international et la protection des espèces en danger (CITES) fut signée à Washington et amendée à Bonn en 1979.

En 1979, une directive européenne relative à la conservation des oiseaux sauvages constitue un prolongement conséquent de la convention de Paris. Elle concerne les espèces d'oiseaux migrateurs vivant naturellement à l'état sauvage sur le territoire des États membres de la Communauté européenne, ainsi que leurs œufs, nids et habitats. La directive impose aux États membres de prendre des mesures pour la préservation, le maintien ou le rétablissement des habitats des oiseaux. Également signée en 1979, mais entrée en vigueur en 1982, la convention de Berne vise à promouvoir la coopération entre les États signataires afin d'assurer la conservation de la flore et de la faune sauvages et de leurs habitats naturels et de protéger les espèces migratrices menacées d'extinction.

D'autres événements internationaux vont donner tout leur poids et leur crédibilité à la nouvelle attitude humaine dans son rapport à la nature. Dès 1982, la Charte mondiale de la nature est adoptée par l'Assemblée générale des Nations unies. Elle sera suivie de la déclaration du Sommet de la Terre à Rio de Janeiro en 1992. Et c'est à la suite de ce sommet que l'Union européenne s'est engagée à créer un réseau écologique européen de zones de conservation appelé Natura 2000, qui est devenu réalité malgré les difficultés de l'entreprise. En 2010, à Nagoya, les 193 pays signataires de la convention sur la Diversité biologique ont établi un protocole d'une importance politique capitale sur l'accès aux ressources génétiques et le partage des avantages tirés de leur exploitation. Sans une application rigoureuse des mesures exigées par ce protocole, il y a peu de chances d'aboutir à la conservation effective de la biodiversité.

CHAPITRE 6

Cosmoéthique

J'ai imaginé reprendre les propos de ces derniers chapitres sous la forme d'une mythologie cosmique, à la façon des sagas traditionnelles. Deux personnages imaginaires vont illustrer à la fois la belle-histoire et la moins-belle-histoire, et les voies possibles de leur réconciliation.

1. Le premier personnage, « Dame Nature »

Notre premier personnage incarne la « nature », au sens le plus général et le plus ordinaire du terme. Nous l'appellerons Dame Nature. C'est une personne mythique mais aussi ô combien réelle ! Nous la sentons au plus profond de nous-mêmes. Elle préside à notre naissance, nous accompagne et nous envoie sous terre quand le temps est venu. Elle tient le miroir qui nous montre les changements de notre corps tout au long de notre existence. Elle est présente dans la séquence des saisons et dans le cortège des manifestations qui s'y joignent. Devant les falaises des hautes montagnes, nous contemplons son œuvre dans la superposition des strates géologiques, les vestiges de millions de siècles de labeur tectonique. Nous la retrouvons dans les spectacles des explosions d'étoiles qui illuminent des régions du ciel et engendrent les atomes et, au plus loin, dans la faible lueur du rayonnement fossile.

Toujours dans ce contexte allégorique, nous allons tenter de cerner les traits de la personnalité de Dame Nature en lui posant la question du psychanalyste à son patient allongé sur le divan : « Quel est votre désir ? » Les manifestations du cosmos, observées par nos sens et nos instruments, dans toutes leurs dimensions, sont les matériaux à notre disposition. Nous allons les utiliser pour en extraire de précieuses informations sur ce personnage étrange qui nous habite de si près et de si loin.

Je suggère au lecteur de se munir d'un sac de guillemets et d'en saupoudrer les textes qui vont suivre. Qu'on ne voie pas dans cette allégorie une défense des idées du mouvement américain « dessein intelligent ».

La théorie du Big Bang est aujourd'hui acceptée comme la meilleure représentation du passé du cosmos. Le scénario classique nous présente l'Univers des premiers temps sous la forme d'un magma incandescent. Notre allégorique Dame Nature va se charger de le structurer. L'expérimentation en laboratoire et l'observation au télescope nous informent sur les règles qui président à son activité et portent le nom de « lois de la nature ».

Elles illustrent pour nous les « jeux » auxquels Dame Nature se livre et les « pulsions » qui s'expriment dans et par ces jeux. Voyons-les de plus près...

Les lois sont éternelles

Aussi loin que l'on observe dans l'espace, aussi tôt que l'on recule dans le temps, les lois de Dame Nature sont partout et toujours les mêmes. Ce qui se passe sur la Terre peut aussi se passer dans les galaxies les plus lointaines. Avec le développement des instruments nouveaux, des tests de plus en plus précis deviennent possibles. Les résultats confirment pleinement ces affirmations. Dame Nature règne de la même façon sur l'ensemble du cosmos connu à ce jour : atomes, cellules vivantes, étoiles et galaxies. Elle impose en tout lieu les mêmes lois.

Des lois fertiles

En 1970, dans son livre *Le Hasard et la Nécessité*, Jacques Monod écrivait : « La matière n'est pas grosse de la vie, la vie n'est pas grosse de l'homme. » En d'autres mots, selon lui, rien n'aurait pu laisser prévoir l'apparition future de la vie et de l'homme dans le magma indifférencié de l'univers primordial.

Depuis quelques décennies, un certain nombre d'observations nous ont amenés à revenir sur cette affirmation. Telle que décrite dans le premier chapitre, une découverte stupéfiante est née de la confrontation entre les observations de l'astronomie et les mesures des laboratoires terrestres d'une part, et les modèles d'univers calculés au moyen des ordinateurs, d'autre part. Nous avons appris que les lois de la physique possèdent exactement les propriétés requises pour la structuration du monde. Autrement dit, si ces lois avaient été un tant soit peu différentes, la vie ne serait jamais apparue sur la Terre. Pour cette raison, on les dit « lois fertiles ». Cette concordance, appelée aussi « ajustement fin », a atteint aujourd'hui un degré de crédibilité élevé que bien peu de chercheurs contestent. Mais son interprétation n'a pas fini d'agiter le monde des astrophysiciens. Plusieurs n'y voient qu'une tautologie sans intérêt, d'autres au contraire y portent la plus grande attention. Quant à moi, elle me plonge dans un abîme de réflexion et me laisse sans voix. Selon notre convention, j'observe le phénomène…

Cette découverte de la fertilité des lois qui gouvernent le comportement de la matière de notre Univers jette un doute sur les affirmations de Monod. Elle suggère que, au moins sur le plan de la législation de Dame Nature, la matière était grosse de la vie et la vie était grosse de l'homme. Elle est susceptible de modifier profondément notre relation personnelle à l'Univers. Me revient en mémoire le poème de Charles Baudelaire,

« Correspondances IV », dans son recueil *Les Fleurs du mal* :

> « La nature est un temple où de vivants piliers
> Laissent parfois sortir de confuses paroles ;
> L'homme y passe à travers des forêts de symboles
> Qui l'observent avec des regards familiers. »

Le formatage des lois

Mais revenons au Big Bang. Le magma ambiant, torride, se refroidit à l'unisson sur toute son étendue. Partout les forces entrent en œuvre. Chacune, selon son mode d'emploi, structure progressivement le magma primordial.

Visitons la boîte à outils de Dame Nature pour comprendre un peu mieux ces modes d'emploi. Ils sont différents selon la dimension des structures. Il y a des modes qui sont spécifiques aux plus petites structures (les quarks et les noyaux atomiques), d'autres aux structures intermédiaires (atomes, molécules, organismes vivants), et d'autres encore aux grandes structures (planètes, étoiles, galaxies et l'Univers entier). Mais leur formatage est semblable. L'encadré donne plus de détails.

Le formatage des forces

Le formatage des forces de la nature ressemble à celui de l'écriture telle que nous l'avons apprise sur les bancs de l'école. Un mot est une association de lettres à laquelle on a attribué un sens. Une association de mots constitue une phrase avec son sens propre. En rejouant ces opérations d'associations, on obtient des paragraphes, des chapitres, des livres, des bibliothèques. Dans chaque cas, le sens est une propriété qui naît, non pas de chacun des éléments qui composent la séquence, mais de leur association. On parle d'une «propriété émergente». Tout notre monde du savoir est organisé via ce mode de structuration.

Dame Nature utilise ce même formatage pour organiser l'Univers. Il ne s'agit plus de lettres mais de particules: quarks, nucléons (protons et neutrons), atomes, molécules, cellules. Au départ, les quarks s'associent pour former des protons et des neutrons qui s'associent eux-mêmes pour former des atomes qui, à leur tour, s'associent pour former des molécules... qui s'associent pour former des cellules... qui s'associent pour former des organismes vivants. Comme les mots et les phrases ont un sens, à chaque niveau chaque nouvelle structure est dotée de propriétés spécifiques qui naissent de l'association des éléments. Tels sont les facteurs qui soustendent la croissance de la complexité au cours des ères. Ce formatage est une notion-clef. L'un des instruments les plus précieux dans la boîte à outils de Dame Nature.

Le rôle du hasard

Dans la boîte à outils de Dame Nature, il y a aussi une bonne place pour le hasard. Le philosophe grec Démocrite écrivait il y a plus de deux mille ans : «Tout arrive par hasard et par nécessité.» Il avait bien vu. Dame Nature joue à la fois du hasard et de la nécessité.

Au XXe siècle, les propos de Démocrite ont été brillamment confirmés par la physique quantique. Là où auparavant on parlait de certitude, on parle maintenant de probabilité et, en conséquence, de hasard. Le message de la physique classique : «À chaque cause correspond un effet et un seul» a été remplacé par celui-ci : «À chaque cause correspond une multitude d'effets possibles.» Il est impossible de savoir à l'avance celui qui va se produire.

La nécessité pure, sans intervention du hasard, n'engendrerait que de la monotonie. Rien ne changerait jamais, rien de nouveau ne pourrait arriver : pas de variété, pas de diversité, pas de place pour la créativité, toujours du pareil au même. Le hasard pur, sans lois, n'engendrerait que du fouillis : pas de structuration, pas d'organisation.

Dame Nature cultive à la fois l'ordre et la variété, la structure et la diversité. L'espace de liberté engendré par le duo hasard et nécessité est la base de la créativité de la nature. Armée de lois fertiles et continuellement affairée à faire émerger des réalités nouvelles, elle est perpétuellement novatrice. Chacun de nous, comme chaque papillon, est une manifestation de son extraordinaire talent inventif. Nous en portons chacun une trace spécifique.

2. Le second personnage, l'«Énorme»

Il y a bien peu de temps à l'échelle de l'âge de l'Univers, apparaît sur la Terre un être qui va jouer un rôle majeur dans notre récit. Pour poursuivre sur la voie de l'allégorie nous allons en faire notre second personnage. Il est celui qui incarne et amène aux plus hauts niveaux de complexité et d'efficacité les potentialités issues des jeux de Dame Nature. Nous l'appellerons : l'«Énorme», c'est le mot qui lui convient le mieux. C'est l'être humain : *Homo sapiens*, vous et moi.

On raconte que, cherchant à classifier les espèces vivantes au XVIIIe siècle, les biologistes se sont souvent demandé si les humains devaient mériter une niche spéciale. Par leur physiologie et leur histoire évolutive, ils font évidemment partie du monde animal. Pourtant, leurs propriétés exceptionnelles semblaient effectivement les classer hors du monde naturel. D'autant plus qu'à cette époque, la tradition chrétienne leur attribuait une âme immortelle qu'elle refusait à tous les autres vivants.

On peut dire à plus d'un titre que l'homme est, à notre connaissance, le résultat le plus extraordinaire de l'évolution biologique. Sa population, parmi les plus élevées du monde des mammifères (près de sept milliards et ce n'est pas fini), illustre bien sa grande aptitude à survivre et à s'adapter aux milieux les plus différents et les plus extrêmes. Il descend au plus profond des océans et fait l'ascension des plus hautes montagnes. Il débarque sur la Lune et pourrait aller sur Mars. Son intelligence lui permet de déchiffrer les lois de la nature et de les utiliser pour mettre à son service les atomes et les bactéries. Ses performances dépassent démesurément celles des autres espèces. Sa puissance semble sans limites. «Rien n'est plus merveilleux que l'homme», disait fort justement Sophocle.

Pour toutes ces raisons, nous succombons facilement à la tentation de penser que nous sommes le chef-d'œuvre de la création. Que notre intelligence fait de nous le sublime joyau de Dame Nature. Un élément cependant devrait nous rendre méfiants face à ce jugement : ici nous sommes à la fois juge et partie ! Nous décidons des critères qui spécifient ce palmarès et nous nous plaçons allègrement au sommet !

Mais il existe une autre échelle de comparaison, celle qui mesure les chances d'une espèce à persister dans l'existence. Son aptitude à s'intégrer harmonieusement dans l'immense écosystème de la vie terrestre. Les tortues, par exemple, existent sur la Terre depuis plus de deux cents millions d'années. Selon nos critères, elles ne sont pas particulièrement intelligentes. Pourtant, elles ont survécu à toutes les perturbations qui ont affecté la planète pendant cette période. Sur cette échelle, notre place est peu enviable. Aucune espèce n'a jamais eu une interaction plus désastreuse avec son environnement naturel. Après seulement quelques millions d'années, notre avenir est déjà bien incertain.

« Sweet Technologies »

Au-delà des gigantesques possibilités qu'avec le cadeau de l'intelligence nous avons reçues de Dame Nature, il faut mentionner un sentiment humain profondément menaçant pour notre avenir : la fascination pour la puissance et le pouvoir.

Discutant, après la guerre, des motivations qui avaient amené les scientifiques à fabriquer la bombe atomique (au-delà des informations selon lesquelles les Nazis préparaient aussi un tel projet et qu'il était impératif de les battre de vitesse), Robert Oppenheimer, l'un des cerveaux du projet, parlait de l'attrait que suscite ce qu'il appelle une « *sweet technology* ». On pourrait traduire par une « jolie technologie, qui ravit l'âme de celui qui l'élabore ». Au Québec on dirait un « petit velours ». Il s'agit du sentiment d'exaltation ressenti par celui qui accomplit ce que personne n'a fait auparavant. Préparer la bombe atomique, par exemple, c'est réaliser ce qui était réservé aux étoiles. C'est, à l'image du titan Prométhée, extraire le feu du ciel pour le jeter sur la Terre.

Ces technologies se poursuivent aujourd'hui sous la forme de projets démentiels dont, par exemple, le développement d'armes bactériologiques. Mises entre les mains de scientifiques irresponsables, ces techniques pourraient provoquer des catastrophes à l'échelle de la planète.

Nous n'avons pas choisi de naître humains. Nous devons prendre conscience de l'énormité de ce que cela représente. Nous sommes les frères de Bach, de Van Gogh, de Socrate, du Bouddha et du Christ. Mais aussi de Hitler, de Staline, de Pol Pot. En chacun de nous il y a place pour le meilleur et pour le pire, pour le sublime et pour l'horreur. Et nous prenons conscience de la tâche immense à laquelle nous sommes confrontés : il nous faut gérer cette puissance formidable et ces pulsions novatrices reçues en héritage de Dame Nature. Vaste responsabilité !

Tous les moyens sont bons

Jusqu'ici, au travers des événements qui ont marqué l'histoire du cosmos, nous avons pu suivre le comportement de Dame Nature, relever ses traits de caractère et dessiner le profil de sa personnalité. Elle est animée par une pulsion irrépressible à créer toujours du nouveau, à organiser la matière pour atteindre des sommets toujours plus élevés de complexité et d'efficacité.

Poursuivant notre présentation, nous allons maintenant aborder un autre aspect de sa personnalité. Dans un nid sont blottis quatre oisillons : deux sont en bonne santé, deux sont malades. Les parents apportent des insectes. Mais le partage n'est pas équitable. Les proies sont réservées à qui se porte bien ; rien pour les oisillons trop faibles pour réclamer. C'est que Dame Nature, fidèle à ses idéaux, favorise tout ce qui aide au maintien et au développement des espèces. Les oisillons en bonne santé ont plus de chances d'avoir des gènes sains. Vraisemblablement ils pourront ainsi garantir la descendance. Il faut leur réserver toutes les attentions et d'abord la nourriture.

Dans le contexte de la compétition entre les espèces et de la sélection naturelle darwinienne, le succès de la reproduction est un atout majeur. Et cela commence par l'impérieuse nécessité de « manger et ne pas être mangé ». C'est ce qu'on a quelquefois appelé le « règne des gènes ». C'est sur leur autel que les oiseaux malades ont été sacrifiés. Notre espèce humaine, comme toutes les autres, en a sans doute abondamment profité.

Ce comportement de Dame Nature peut heurter notre sensibilité. Pour assurer la reproduction tous les moyens sont bons : la cruauté, le leurre, la tromperie sont des démarches acceptables. Un lion tue les petits (issus de son prédécesseur) de la lionne qu'il vient de séduire pour s'assurer que les futurs lionceaux proviendront de ses propres gènes. Dans la même veine, il y a une guêpe qui pond ses œufs dans une chenille dont la chair sert de nourriture aux larves. Celles-ci deviendront des guêpes alors que la chenille ne deviendra jamais papillon.

Nous connaissons surtout le coucou par son chant qui nous réjouit au printemps quand, « dans la forêt prochaine », on entend ses deux notes mélodieuses. Mais son comportement avec les autres oiseaux est détestable. Négligeant de construire un nid pour ses petits, il se contente de déposer son unique œuf dans celui d'une autre espèce. Après son éclosion, le petit coucou éjecte un à un les premiers occupants et bénéficie ainsi tout seul des apports des parents nourriciers.

Comment réagir sinon constater le peu de cas que Dame Nature semble faire de ce que, dans notre langage humain, nous appelons la justice et l'équité ?

Une planète qui déborde

Ces questions prennent aujourd'hui des dimensions planétaires. Force est de constater, répétons-le, que les humains figurent parmi les mammifères les plus prolifiques de la Terre. Dame Nature semble indifférente au fait que notre planète ne peut abriter indéfiniment une espèce dont la croissance serait illimitée, surtout si l'impact de son activité prend des dimensions à l'échelle de la planète elle-même. Christian de Duve, Prix Nobel de médecine, présente cette indifférence (qu'il appelle un aveuglement) comme une image du «péché originel». Rien, dit-il, ne semble prévu dans l'évolution pour affronter la crise écologique provoquée par la population et la puissance des vivants quand elles atteignent un niveau d'impact planétaire. L'expression «péché originel» de Duve laisse planer comme une note de fatalisme sur sa vision de la situation.

Certains auteurs considèrent qu'en ignorant cette dimension, Dame Nature a montré ses propres limites. Qu'elle a atteint, pour employer une expression populaire, son «niveau d'incompétence» à l'échelle cosmique. Cette incompétence pourrait-elle être un frein inéluctable à la croissance de la complexité sur Terre (ou sur d'autres planètes)? Dans ce cas, l'intelligence et la conscience pourraient être considérées comme des cadeaux empoisonnés portant en eux-mêmes leur propre limitation. La situation serait sans issue.

Comment réagir devant cette position du Prix Nobel? J'y vois surtout une attitude défaitiste qui entraînerait, si on l'acceptait, l'échec qu'elle prévoit. Les lignes qui suivent vont nous conduire dans un tout autre espace.

Dame Nature invente la compassion

Dans une famille humaine se trouvent deux enfants. L'un est malade, l'autre est en bonne santé physique. Contrairement au cas des oiseaux, les parents soignent généralement aussi, et souvent en priorité, l'enfant en mauvaise santé. Qu'est-ce qui a changé ?

Un élément nouveau est apparu au cours de l'évolution, qui peut modifier profondément la situation. Un sentiment qu'on peut appeler « compassion » ou « empathie ». Il procure à celui qui en hérite la faculté de n'être pas indifférent aux affects des autres. De s'émouvoir et de réagir à leur souffrance. De se mobiliser pour tenter d'y remédier. Ce sentiment est déjà présent chez nombre d'espèces animales. Il joue chez les humains un rôle d'une importance particulière. De lui sont nées de nombreuses initiatives tels Amnesty International, la Croix-Rouge ou le Croissant-Rouge et toutes les institutions médicales et humanitaires.

Notons que l'apparition des comportements altruistes s'inscrit tout naturellement dans le cadre de l'évolution darwinienne. Dans une ruche, les abeilles soldats exposent leur vie pour protéger la communauté et contribuent ainsi au bien-être de la ruche entière.

Ainsi on peut dire que, avec le cadeau de la compassion, Dame Nature a donné à l'Énorme un moyen et un espoir de coexister avec sa propre puissance. De redresser le cours de la moins-belle-histoire pour, espérons-le, la réintégrer dans le courant de la belle-histoire.

Dans notre langage allégorique, le Réveil Vert devient une manifestation du souci de Dame Nature de poursuivre son œuvre innovatrice. Dans ce contexte, son fils, l'Énorme, ne joue plus contre elle mais avec elle, mettant son talent à son service. C'est pour nous la source de l'espoir. C'est de là « que croît ce qui sauve » selon les beaux mots de Hölderlin.

3. Les jeux du cirque sont terminés

Visitant les ruines de Leptis Magna en Libye, je me suis attardé dans les couloirs du cirque romain, l'endroit où avant les jeux les bêtes féroces et les gladiateurs étaient confinés. Les guides nous affirmaient qu'en une journée de fête, plus de mille hommes ou animaux étaient sacrifiés à la liesse publique. Les sols étaient couverts de sang.

Aujourd'hui, heureusement, ces spectacles inhumains n'existent plus. Ils sont devenus impensables. Je me suis plu à l'idée qu'on pouvait y voir un progrès dans le comportement des humains. L'abolition de l'esclavage, la suppression de la peine de mort dans de nombreux pays, la promotion du statut des femmes, me semblent aller dans le même bon sens.

Pourtant, d'autres actes ignominieux, les génocides récents, la lapidation des femmes peuvent sembler remettre en cause la justesse de cette vision d'espoir en l'avenir de l'humanité. Il n'en reste pas moins que ces comportements sont aujourd'hui quasi universellement réprouvés. À l'époque de l'Empire romain, l'esclavage et les jeux du cirque étaient respectables. Ils faisaient partie de la vie sociale sans être remis en question. C'est là une différence importante qui permet, me semble-t-il, d'y voir le signe d'une évolution positive.

Je conseille au lecteur le livre de Steven Pinker, *The Better Angels of Our Nature*. Il démontre, documents à l'appui, que, depuis l'Antiquité la violence entre les humains est en diminution régulière et que, malgré les guerres, les génocides et autres meurtres, le XXᵉ siècle est celui qui a fait, proportionnellement à la population, le moins de victimes. Difficile à croire, mais les chiffres sont bien là !

Le Réveil Vert, les activités des associations de protection de la nature vont, bien sûr, dans le même sens. Il y a la prise de conscience de l'interdépendance de tous les êtres vivants. Cette volonté de les intégrer dans une notion élargie de l'humanisme peut, selon les mots du biologiste américain Aldo Leopold, être considérée comme le « signe d'une sorte d'instinct communautaire en gestation ». Ce nouvel humanisme empreint d'empathie pour tous les vivants prend la forme d'une «éthique de la Terre» qui semble occuper une place de plus en plus importante dans notre culture occidentale pourtant si décriée sous ce rapport. Tous ces éléments font partie intégrante de la réconciliation de nos deux histoires. Ils appartiennent au domaine de «ce qui sauve».

Éthique de la Terre

Dans les chapitres précédents, nous avons identifié les facteurs qui portent l'espoir d'une réconciliation de nos deux histoires. L'intelligence, qui a joué un rôle si négatif dans la poursuite de la moins-belle-histoire, doit maintenant servir à retrouver l'harmonie avec la belle-histoire.

Les gestionnaires d'un parc national américain ont récemment modifié les panneaux qui accompagnent les massifs de fleurs. La version initiale était : « Ne cueillez pas ces fleurs. Vous en priveriez les autres visiteurs. » La nouvelle version est : « Ne cueillez pas les fleurs. Tout comme vous, elles ont le droit d'exister. » Ce changement est, à sa petite échelle, significatif d'une évolution majeure dans notre relation à la nature. Les fleurs existent d'abord pour elles-mêmes.

Cette attitude émane en grande partie de la réflexion du biologiste américain Aldo Leopold. Dans son livre *Almanach d'un comté des sables*, il résume en une phrase les acquis des scientifiques sur les rapports entre l'homme et la nature :

« Au cours de l'histoire humaine, nous avons appris
(je l'espère) que le rôle du conquérant contient en lui-
même sa propre défaite. »

Il développe alors la notion d'« éthique de la Terre »
qui élargit les frontières de la communauté humaine pour
y inclure les sols, les eaux, les plantes et les animaux.
Il s'agit d'un nouvel humanisme, étendu à la biosphère
et à tous les éléments auxquels nous sommes, de près ou
de loin, reliés pour notre existence.

Cet humanisme élargi implique naturellement l'émer-
gence d'un nouveau comportement vis-à-vis de la biodiversité dans son ensemble, fondé sur le respect de toute
vie. Et quid alors de nos besoins ? Manger et se défendre
contre les agressions ? Comment concilier la chèvre et le
chou, le lion et la gazelle ? Une éthique est d'abord une
attitude mentale de laquelle émerge une jurisprudence.
On raconte qu'avant de tuer un ours, les Amérindiens
lui adressaient ces mots : « Excuse-nous, mais c'est toi
ou nous. » Les poulets en batterie n'ont pas droit à ces
égards.

Il importe ici de noter que l'application de cette
éthique peut avoir des effets hautement positifs sur
le comportement des humains entre eux. La violence
que l'homme fait subir à la nature est la même que celle
qu'il fait subir à ses congénères. On y retrouve l'appât
du gain immédiat par la saisie brutale plutôt que la vision

à long terme des bienfaits de la coopération, l'identité des armes de guerre et de chasse, l'esclavage humain si semblable à la domestication animale. Nous ne nous respecterons entre humains que lorsque nous respecterons les non-humains. La défense de la biodiversité trouve là une de ses plus belles justifications.

Examen de passage

L'universalité des lois de la physique et de ses structures – galaxies, étoiles, atomes, molécules – laisse penser, même si nous n'avons pas encore de preuves, que Dame Nature pourrait avoir joué les mêmes jeux un peu partout dans l'Univers. Que la vie et l'intelligence aient pu apparaître sur de nombreuses planètes. Et que le développement des sciences et de la technologie par une espèce nantie de l'intelligence ait pu produire, sur plusieurs d'entre elles, des situations de crises semblables à celle que nous vivons sur Terre.

Nous pourrions alors considérer qu'une telle crise planétaire est une sorte d'examen de passage pour toute planète sur laquelle la croissance de la complexité cosmique a permis l'éclosion de l'intelligence. La vision du monde d'Aldo Leopold deviendrait alors une cosmo-éthique, proposant une gestion appropriée de la situation et montrant le chemin vers le succès de l'examen et la sortie de la crise.

Remerciements

Je remercie chaleureusement Camille Reeves, Nelly Boutinot, Patricia Aubertin, Jean-Marc Lévy-Leblond, Sophie Lhuillier pour leur aide précieuse.

Références

ANONYME, *Les Vingt et Une Nuits*, (histoire de la princesse Shéhérazade), Gallimard Jeunesse, 2005.

BARBAULT, Robert, *Un éléphant dans un jeu de quilles*, Seuil, «Science ouverte», 2006 et «Points Sciences», 2008.

BARBAULT, Robert, CHEVASSUS-AU-LOUIS, Bernard, *Biodiversité et changements globaux. Enjeux de société et défis pour la recherche*, ADPF, ministère des Affaires étrangères, 2004.

BARBAULT, Robert, WEBER, Jacques, *La vie, quelle entreprise !* Seuil, «Science ouverte», 2010.

BLANDIN, Patrick, *Biodiversité. L'Avenir du vivant*, Albin Michel, «Bibliothèque Sciences», 2010.

BLANDIN, Patrick, *De la protection de la nature au pilotage de la biodiversité*, Quæ, 2009.

BRADLEY *et al.*, «Biodiversity loss and its impact on humanity», *Nature*, vol. 486, n° 7401, 7 juin 2012, p. 59-67.

CARSON, Rachel, *Printemps silencieux*, Wildproject, «Domaine sauvage», 2009.

CHEVASSUS-AU-LOUIS, Bernard, *La Biodiversité, c'est maintenant*, éditions de l'Aube, 2013.

COLLECTIF, *Humanité et biodiversité*, Descartes & Cie/Ligue ROC, 2009.

—, *Notre santé et la biodiversité*, Buchet-Chastel, 2013.

DIAMOND, Jared, *Effondrement : Comment les sociétés décident de leur disparition ou de leur survie*, Gallimard, Paris, 2006.

LACÉPÈDE, Bernard Germain de, *Histoire naturelle des cétacés*, t. 1, Plassan, 1804.

LAMARCK, Jean-Baptiste de, *Système analytique des connaissances positives de l'homme, restreintes à celles qui proviennent directement ou indirectement de l'observation*, Chez l'Auteur et Belin, 1820.

LEOPOLD, Aldo, *Almanach d'un comté des sables*, suivi de *Quelques croquis*, Garnier-Flammarion, 2000 (éd. originale, *A Sand County Almanac*, 1949).

LORENZEN, E.D. *et al.*, « Species-specific responses of late-quaternary megafauna to climate and humans », *Nature*, vol. 479, 17 novembre 2011, p. 359.

MORIN, Edgar, *La Voie. Pour l'avenir de l'humanité*, Fayard, 2011.

O'LEARY *et al.*, « The placental mammal ancester and the post-K-Pg radiation of placentals », *Science*, vol. 339, 8 février 2013, p. 663.

PELT, Jean-Marie, *L'Évolution vue par un botaniste*, Fayard, 2011.

PENNESI, Elisabeth, « From war to peace », *Science*, 18 mai 2012, p. 841.

PINKER, Steven, *The Better Angels of Our Nature. Why Violence Has Declined*, Viking, 2011.

RÉFÉRENCES

PLATON, *Le Banquet*, *Œuvres complètes*, IV 2, Les Belles Lettres, 1929.

SERRES, Michel, *Biogée*, editions-dialogues.fr, 2010.

VENDITTI, Chris, MEADE, Andrew, PAGEL, Mark, « Multiple routes to mammalian diversity », *Nature*, vol. 479, 17 novembre 2011, p. 393 m.

SOPHOCLE, *Antigone*, Garnier-Flammarion, 1999, p. 56-57.

XUAN THUAN, Trinh, *Le Destin de l'Univers*, Gallimard, Découvertes, 1992.

TABLE

DEUXIÈME PARTIE : LA MOINS-BELLE-HISTOIRE

TROISIÈME PARTIE : LE RÉVEIL VERT

Du même auteur

Évolution stellaire et nucléosynthèse
Gordon and Breach/Dunod, 1968

Soleil : histoire à deux voix
(en collaboration avec Jacques Very,
Éliane Dauphin-Lemierre et les enfants d'un CES)
La Noria, 1977 ; La Nacelle, 1990
Seuil Jeunesse, 2006

Patience dans l'azur
Seuil, « Science ouverte », 1981
et « Points Sciences », n° 55, 1988 (nouvelle édition)

Poussières d'étoiles
Seuil, « Science Ouverte », 1984 (album illustré)
et « Points Sciences », n° 100, 1994 et 2009 (nouvelle édition)

L'Heure de s'enivrer
Seuil, « Science ouverte », 1986
et « Points Sciences », n° 84

Malicorne
Seuil, « Science ouverte », 1990
et « Points Sciences », n° 179

Poussières d'étoiles. Hubert Reeves à Malicorne
cassette vidéo 52 mn
Vision Seuil (VHS SECAM), 1990

Comme un cri du cœur
ouvrage collectif
L'Essentiel, Montréal, 1992

Compagnons de voyage
(en collaboration avec Jelica Obrénovitch)
Seuil, « Science Ouverte », 1992 (album illustré)
et « Points », n° 542 (nouvelle édition)

Dernières nouvelles du cosmos
Seuil, « Science ouverte », 1994
et « Points Sciences », n° 130 (nouvelle édition), 2002

L'espace prend la forme de mon regard
Photographies Jacques Very
Myriam Solal, 1995 ; L'Essentiel, Montréal, 1995
Seuil, 1999 et « Points Sciences », n° 173

La Plus Belle Histoire du monde
(en collaboration avec Yves Coppens,
Joël de Rosnay et Dominique Simonnet)
Seuil, 1996 et « Points », n° P897

Intimes convictions
entretiens
Paroles d'Aube, 1997
La Renaissance du livre, 2001

Oiseaux, merveilleux oiseaux
Seuil, « Science ouverte », 1998
et « Points Sciences », n° 154

Noms de dieux
entretiens avec Edmond Blattchen
Stanké, Montréal, et Alice éditions, Liège, 2000

L'Univers
CD à voix haute
Gallimard, 2000

Sommes-nous seuls dans l'univers ?
(en collaboration avec Nicolas Prantzos,
Alfred Vidal-Madjar et Jean Heidmann)
Fayard, 2000 et « Le Livre de poche », 2002

Hubert Reeves par lui-même
Stanké, Montréal, 2001

La Nuit
CD, éditions De Vive Voix, Paris, 2001

Hubert Reeves, conteur d'étoiles
(documentaire écrit et réalisé par Iolande Cadrin-Rossignol)
Office national du film canadien, 2002
DVD éditions Montparnasse, 2003

Mal de Terre
(en collaboration avec Frédéric Lenoir)
Seuil, « Science ouverte », 2003
et « Points Sciences », n° 164

Chroniques du ciel et de la vie
Seuil/France Culture, 2005
et « Points Sciences », n° 191

Réponses à des questions fréquemment posées
Vol. 1 et 2
CD Spirit Music, Metz, 2006

Chroniques des atomes et des galaxies
Seuil/France Culture, 2007

Patience dans l'obscur
Photographies Jacques Very
Éditions Multimondes, Montréal, 2007

Je n'aurai pas le temps
Mémoires
Seuil, « Science ouverte », 2008
et « Points Sciences », 2012

Arbres aimés
Photographies Jacques Very
Seuil, 2009 (album illustré)

Du Big Bang au vivant
(en coll. avec Jean-Pierre Luminet
réalisé par Iolande Rossignol et Denis Blacquière)
DVD éditions ECP Montréal, 2010

Images du Cosmos
(en coll. avec Benoît Reeves)
DVD et Blu-ray, La Ferme des étoiles, 2010

L'Univers expliqué à mes petits-enfants
Seuil, 2011
et 2012 (album illustré)

RÉALISATION : PAO ÉDITIONS DU SEUIL
IMPRESSION : CPI FIRMIN DIDOT À MESNIL-SUR-L'ESTRÉE
DÉPÔT LÉGAL : SEPTEMBRE 2013. N° 111890 (118835)
Imprimé en France